D0120423

RANDOM RHYMES

AND

BALLADS

The Publishers have also issued by the same Author:

Poems, Scots and English.
Further Poems.
New Poems.

And the following One-act Plays:

In the Spring o' the Year.
The Spaewife.
Go to Jericho.
Auld Robin Gray.
Many Happy Returns.
Cupid and Cupidity.
The Lass that Lo'ed the Tinkler.
Gretna Green.

And in Four Acts:

The Folk frae Condie.

The poems in this volume are a selection from those written in recent years. Most of them first appeared in the columns of the *Daily Record* or *Evening News.*

W. D. C.

Random Rhymes
and
Ballads

BY

W. D. COCKER

GLASGOW

BROWN, SON & FERGUSON, LTD., PUBLISHERS

52-58 DARNLEY STREET

First Printed - 1955

Printed and made in Great Britain by
BROWN SON & FERGUSON LTD., GLASGOW, S.1

CONTENTS

BLETHERSKITE BALLADS

PHILOSOPHY AND FUN

COUNTRY BODIES

TAPSELTEERIE HISTORY

BIRDS AND BEASTS

IN TIME O' WAR

WHIGMALEERIES

THE BAIRN'S BITTOCK

BIBLICAL

TIMES AND SEASONS

BYWAYS AND WEEL-KENT PLACES

SANGS, LILTS AND LYRICS

BLETHERSKITE BALLADS

THE LETTER-GAE O' DRUMCLARTY

Drumclarty kirk is hid awa'
  Amang the bonnie birks;
It's auld an', though it's unco sma',
  Kenspeckle amang kirks—
A kirk that still keeps a precentor,
  Lang Tammas Broon, a richt tormentor.

In days lang syne it was the thing
  To hire for some sma' fee
A strang-lunged body that could sing
  An' lead the psalmody;
Yin that could rowt like ony stirk,
  An' be a credit till the kirk.

Ablow the pu'pit in his box,
  Auld Tammas led the praise;
He had a face like dour John Knox,
  An' weel the psaulms could raise,
But, by an' by, as he grew aulder
  Folk's likin' for the man grew caulder.

For Tammas he grew unco deef
  An' couldna hear himsel';
His voice got crackit—sma' relief!
  For still the chiel could yell.
He roared awa' like ony deil,
  An' aye gaed aff the tune as weel.

But he was keen upon his work—
  Let that be in his favour—
His hame was five miles frae the kirk,
  But never did he waver.
Ilk Sawbath, be it wat or dry,
  Ye'd see auld Tammas traikin' by.

But when Drumclarty kirk had ca'd
  A minister at last
Wha wi' precentors didna haud,
  As relics o' the past,
We felt a change was shair to come.
  Young Mr. Morgan made things hum.

"Precentors were clean oot o' date,
  An organ was the thing.
We'd fa'n ahint the times o' late,
  An' Tammas couldna sing.
We'd break it gently but desire
  Oor auld precentor to retire."

But first, the organ! Organs cost
  A muckle rowth o' siller.
We argy-bargied. Time was lost;
  Suggestions drooned the miller.
We held a Concert—spiled by bringin'
  Lang Tammas till't, wha'd no' stop singin'.

We tried Bazaars an' Sales o' Work,
  We ettled ilka plisky;
A raffle—elders o' the kirk
  Conseedered that gey risky.
We raised the money aboot Lammas;
  An', noo, to break the news to Tammas!

The session took the thing in haun;
  They a' expressed their grief;
But Tammas wouldna unnerstaun,
  An' Jings! the man was deef!
We lippened then to Mr. Morgan,
  "Tammas," says he, "we've bocht an organ.

"This change is maybe for the best—
  Though change we aye bewail—
It's time, auld freen, ye had a rest;
  Ye're gettin' geyan frail.
Neist Sawbath, it is our intent,
  My wife shall play this instrument."

Auld Tammas neither hummed nor hawed:
  "Och ay," he said, "Och ay."
He didna look the least bit chawed
  Nor angered like forby.
But Sawbath neist, wi' solemn face,
  He sat in his accustomed place.

An' when the psaulm was given oot
  He louped up geyan grim;
The organ micht be there, nae doot,
  But it maun follow him.
He stertit wi' a frichtsome yell—
  "All people that on earth do dwell."

The session an' the minister
  Confabbit lang thegither—
"Gin thrawn auld Tammas winna stir,
  It pits us in a swither.
We'll try to raise anither sum
  To gie'm, an honorarium."

The upshot was, a sum was raised—
  Drumclarty folk are gran'—
But Tammas was a thocht bambazed
  When telt o' this new plan:—
"An honorarium, Mr. Morgan?
  We dinna need it, we've the organ!"

"Na, na, it's nae harmonium
We've bocht; ye'll unnerstaun
It's twenty pounds, a guid roon sum,
We're pitten in yer haun.
We want ye to retire an' rest;
That five lang miles yer strength maun test."

Lang Tam's gash gab was lit wi' smiles,
As thowe melts icicle:—
"That's jist what I've been thinkin' whiles—
I'll buy a bicycle!"
An' Tammas Broon, that dour auld party,
Is still precentor in Drumclarty!

THE FEUD O' FINTRY

At Peter Hill auld Andra White
Had taen a scunner an' a spite;
At Andra White auld Peter Hill
Had likewise ta'en a richt ill-will.
Twa men mair crabbit, thrawn an' dour,
An' famed for kickin' up a stour,
Ye wouldna find in a' the kintry;
It was a famous feud in Fintry.

Baith cottar bodies, dwellin' nigh,
Wi' no' anither hoose near-by,
They had to bide gey close thegither,
Hatin' the sicht o' yin anither.
Atween their gairdens stood a dyke,
The scene o' a' the fash an' fike;
For Peter's dug, wi' fearsome glower,
Would whiles come loupin' lichtly ower,
An' gie puir Andra's hens sic flegs,
Jist when their thochts had turned to eggs.
An' Andra had twa skeps o' bees
That bizzed 'mang Peter's braw sweet-peas,
An' when he wrocht his floors amang
They gied him whiles an anterin stang.
A' this gied cause for muckle flytin',
Ill-natur'd clashin' an' back-bitin'.

Yae day when Peter's towsy tyke
Cam' breengin', barkin', ower the dyke,
Yappin' amang the leghorn birdies,
Andra let wallap at its hurdies
Wi' sic a weel-placed kick an' a'
That sent it yowlin' ower the wa'.

Oot cam' auld Peter, red o' lug,
"Wha raised his haun against ma dug?"
"I've raised nae haun," said truthfu' Andy,
"But weel I've kicked yer dug, the randy!"
Fegs! 'twas a collieshangie braw
That then begued atwixt the twa.
If dug had trespassed, sae had bees,
An' Peter lood complained o' these:—
"Jist keep yer bees in their ain byke,
An' dinna let them ower the dyke;
Or I will clatter ilka bee
That meddles wi' ma braw sweet-pea."
That was a threat o' open war:
Said Andra, "Touch them gin ye daur!"

Fate works its way by devious courses,
An hame frae servin' in the forces
Cam' Peter's son, a strappin' laddie,
Wi' a' the mettle o' his daddy,
Yet cheery-like, an' aye sae kindly.
He lo'ed a lass, an' lo'ed her blindly;
An' wha was she but Andra's Lizzy?
A bonnie, blue-e'ed, lauchin' hizzie.

Wi' Liz an' Tam (that's Peter's son)
At kirk the courtship had begun.
The minister a text did labour
Upon the theme o' "Love thy neighbour,"
An' Lizzy, meetin' Tam's bricht e'e,
Looked doon, an' sighed, an' blushed a wee.
An' Tam, as he convoyed her hame,
Elaborated on the same
Bit text to her in words sae sweet,
He ca'd the lassie aff her feet.

She gied her promise they would wed;
But ance the happy words were said
She swithered, an' had maist said nay:—
"For Oh! what'll ma faither say?"
An' Tam jaloused there'd be a battle,
For angry dads are kittle cattle.

An' noo they baith maun break the news
To parents wi' divergent views.
But Peter, when he heard Tam's tale
Could see nae reason to bewail;
He grimly smiled, an' blessed the lad:—
"This'll mak' Andra flamin' mad!"
When bonnie Lizzy brak' the news
Andra expressed nae different views;
He didna rage, or girn, or flyte,
He said:—"This'll drive Peter gyte!"

Sae Tam an' Liz were blithely wed;
A year an' mair sin' then has sped;
Their pram ye'll see's a braw twa-seater—
Andra, an' his twin brither Peter!
A truce was made aroon their cradle
Whaur each granpaw a bairn did daidle.
Thus ended the lang feud o' Fintry,
An' peace noo reigns through a' the kintry.

A HOGMANAY TRAGEDY

A canty couple, geyan croose,
Granny an' Granpaw, auld an' douce,
Dwalt in their ain wee but an' ben,
In yon quate clachan in the glen.
Weel thocht o' by the neebours roon,
They had yae crony, Nicol Broon,
A special freen wha stood Time's test.
The sayin' is—Auld freens are best—
Nae truer word was ever written.
Ilk Ne'erday Nicol cam' first-fittin';
A guid auld custom that endears
Lang freenship through unbroken years.

To dae the honours o' the hoose,
Granny an' Granpaw, toshed an' spruce,
Yae Hogmanay thegither sat
Awaitin' Nicol's rat-tat-tat.
Upon the dresser stood a plate
O' shortbreid, mair than jist a tait,
Wi' glasses an' the braw decanter—
But oh, wae's me! the fell mischanter!
The whisky was in scrimp supply,
A gill was a' that they could buy—
Nae honest mutchkin or big bottle,
Folk micht as weel be clean teetotal!
Besides, the stuff was unco dear,
An' Granny to spend mair was sweer.

The knock the midnicht oor' had chapped,
An' Granny aff to sleep maist drapped,
While Granpaw noddit in his sate,
Then roused an' said—"Faith! Nicol's late.
Gey prompt at Ne'erday aye afore

We've had him roarin' at the door;
As sune's the kirk bell doon the glen
Has jowed the 'oor, he's breengin' ben."
Ten minutes mair the twasome sat,
While baudrons dovered on the mat.
"It's maybe sic a nicht o' snaw,
He's thocht it best to bide awa',"
Said, Granny, "sae we'll gie him up,
An' tak' oor ain wee bite an' sup."
Wi' twa sma' drams their he'rts to cheer,
They wished theirsels a Guid New Year.
But scarcely had they drank the drappie
When Nicol entered, fou an' happy.
Wi' freens forgethered on the road,
He'd ta'en an unco heavy load.
But though his drumly e'en were bleary
The dacent man was jist gey cheery.

Puir Granny's he'rt sank in her wame,
She hung her heid for very shame.
Fate seldom played her sic a plisky:
They had gey little left o' whisky;
An' sae, while Granpaw welcomes Nicol,
She thocht—"We're in a bonnie pickle!"
The rules o' hospitality
Demand they drink frae glasses three
Thegither the time-honoured toast—
Their hospitable name was lost!
Though Granpaw whiles is jist a footer,
Granny has a' her wits aboot 'er,
An' in this moment o' disgrace
She thocht o' what would save her face.
"There's whisky for yae glass for Nicol,
His weel-iled thrapple still to tickle;

I'll fill twa mair wi' this cauld tea,
It's jist the hue o' barley-bree.
As naebody'll be the wiser,
We winna get the name o' miser."
She whispered Granpaw to tak' heed,
An' secretly she did the deed.

Syne Granpaw passed the glasses roon—
"A Guid New Year!" The drams gaed doon.
Then Granny's he'rt again gaed sinkin'—
What's this but whisky that she's drinkin'?
She glowered at Granpaw—chief o' asses,
He'd whummled things an' mixed the glasses.
Nicol took aff his drink an' smiled—
"That's shplendid whisky—very mild!"

The man, to tell nae lee, had swallowed
Sae muckle that whatever followed
Doon his lang craig to reach his wame
Tasted like whisky a' the same.
But Granny, wha was aye a fyke,
Jaloused he spoke sarcastic-like.

THE SPAEWIFE AND THE SWEEP

The auldest couple on the stair
Were Erchibald an' Meg McNair;
Gey civil, an' sae douce as weel,
They made the close seem quite genteel.
Meg was the sort that didna fash
To mell in ony stair-heid clash.
She never raised a tirrivee
Aboot sic things as wash-hoose key,
Nor argy-bargied, dour an' sair,
Wha's turn it was to wash the stair.
Her baikie never dribbled dross:
She was a credit till the close.
An' Erchibald was jist the same,
He had nae fau'ts that folk could name.
The neebours, yin an' a', agreed
That they would miss them when they dee'd.

Nae man alive can see the meanin'
O' women's daft-like ploy—spring-cleanin';
An' Erchibald yae day looked glum
When Meg said—"We maun soop the lum.
The kitchen lum has no' been soopit
For three lang years." His spirits droopit
To zero, when she said wi' meanin'—
"Then I'll get on wi' ma spring-cleanin'."
He gied a sigh, but answered naething;
Man kens he is but woman's plaything.
She lo'es him—but she deals him knocks:
Inexplicable paradox!
An' thus it seemed when Meg did warn—
The chimney sweep'll come the morn.

The wife next door, jist through the wa',
That efternune gied Meg a ca'.
She was a weedow, Mrs. Brodie,
A clish-ma-claverin' sort o' body;
She had repute o' fortune-tellin'—
Her heid was aye wi' nonsense swellin'—
An' sittin' ower their cup o' tea,
She glowered at Meg wi' curious e'e.
"Noo, Meg, I'd like to read yer cup;
Sae sweel it roun, an' drink it up."
Meg had sma' time for sic like havers;
She thocht that readin' cups was clavers;
But to be pleasant-like an' dacent,
She gied her cup ower, quite complacent.

Said Mrs. Brodie in a wee—
"A big, dark stranger here I see."
Meg said, wi' jist a hint o' scorn—
"Ay, I expec' the sweep the morn."
But Mrs. Brodie answered pat—
"Yer cup has tell't me mair than that;
For this dark stranger comes atween
You an' an auld gey near-haun freen.
An' sic a collieshangie's raised!
The outlook's black. I'm fair bambazed."
Meg lauched at a' this in her sleeve,
An' Mrs. Brodie took her leave.

Philosophers, indulge your smiles;
But queer-like cantrips happen whiles;
An' things uncanny may befa',
For Fate plays pliskies on us a'.

Neist mornin', when the sweep arrived,
Unchancily the fule contrived

Doon the wrang lum his brush to put,
An' smoored the Brodie hoose wi' soot;
Jist as the weedow pains was takin'
To nicely fry her lodger's bacon.
Meg felt that she was no' to blame;
But Mrs. Brodie, to her shame,
Lowsed her lang tongue, cam' ragin' ben;
An' efter, let the hale close ken.
Noo Erchibald an' Meg McNair
Hae casten-oot wi' a' the stair.

DRAMA AT CRAIGLOWRIE

Craiglowrie men would hae nae troke
  Wi' ony kind o' evil;
A douce, but nerra-mindit folk,
  They didna like the deevil;
An' saw his haun in ony ploy
  That micht turn oot a source o' joy.

But, gin the men were dour an' thrawn,
  Craiglowrie wives were cheery,
An' whiles they took the notion on
  To turn things tapselteerie;
An' in the wee kirk ha' they stertit
  A Club to keep young folk divertit.

This syne turned oot a Drama Club,
  It's aim there was nae hidin',
The men sat dourly in the pub
  An' groaned at this back-slidin'—
"The kirk maun pit its fit doon flat:
  Play-actin'! Sic a thing like that!"

But, nane the less, the ploy gaed on,
  The wives maun hae their plisky.
The lasses to the thing were drawn,
  For lasses a' are frisky,
An' jined the club in numbers great;
  But Oh! the lads were unco blate.

The first to jine was Katie Sim,
  Her faither was an elder;
An' when she brak' the news to him
  Guidsake! he could hae felled 'er.
But Kate jist lauched at him, an' syne
  She coaxed her brither Rab to jine.

Rab had nae notion o't; but losh!
He quickly changed his mind
As sune's he heard that Jenny Tosh,
Yon bonnie lass, had jined.
He thocht as hero he'd play fine
If Jenny were the heroine.

Her e'en had spells for him, her glance
Was like the sunshine bricht;
She was his notion o' Romance,
He dreamed o' her ilk nicht.
But oh! she seldom smiled on him:
She smiled instead on "Sunny Jim".

An' "Sunny Jim," to gie the lad
The by-name o' the place,
Was jist the sort o' chap wha had
A weel-faured kin' o' face,
Forby a giftie o' the gab—
The which could no' be said for Rab.

Rehearsals syne gat under way
O' "Bunty Pulls the Strings."
Rab had nae muckle pairt to play;
It scunnered him, by Jings!
To find that he was understudy
To "Sunny Jim," yon claverin' buddie.

An' Jim, his luck ye'll no' gainsay—
It added to his crimes—
Maun kiss dear Jenny in the play
Aboot a dizzen times!
A lover's pangs are sair, they tell us,
An', weel-a-wat, puir Rab was jealous.

Sae nichtly in his he'rt he prayed
That something micht befa'
To gar Jim's joyfu' pairt be played
By Rab Sim efter a'.
Guid kens, but sicna prayers are evil;
His prayer was answered by the deevil.

Yae nicht, as in a dream he lay,
Auld Nick to him appeared
Like some auld freen: "What shall I dae
To Sunny Jim?" he speered.
Rab answered wi' nae mair ado:
"Gie him a richt dose o' the flu."

"That's easy," said Auld Nick, "ye micht
Hae asked a thing mair kittle.
He'll catch a richt guid dose the nicht;
The flu is unco smittle."
He vanished in a sulphurous smell,
Fair lauchin' like to kill himsel.

Then Rab awoke an' looked aroon,
He maist could smell the reek:
"That lum has had a queer blaw-doon,
For that's an awfu' smeek!"
Then, in a gliff, his dream cam' back.
His conscience said "Alas! alack!"

An' yet he felt gey licht o' he'rt
His jealous pangs were over;
He felt he yet would play the pairt
O' Jenny's ardent lover.
Jim sickened, shair eneuch, but Losh!
He catched the flu frae Jenny Tosh.

The show gaed on, an' wha d'ye think
  Was Jenny's understudy?
Rab's sister Kate, sae trig, perjink,
  Her cheeks a' paintit ruddy.
A dizzen times or mair Rab kissed 'er—
  But what fule wants to kiss his sister!

THE ROBBERY AT DUNROB

In a' the parish o' Dunrob,
The polis has the saftest job.
He cycles roon aboot his beat,
Or dauners doon the village street,
But naething ye could ca' a crime
Occurs to occupy his time.
Though ettlin' aye to get promotion,
The puir man has nae earthly notion
Hoo he can earn a stripe or twa
When naebody'll break the law.
Yae case there was, lang syne, 'tis true,
When he was young an' blate an' new.
It raised an unco tirrivee,
But was an unsolved mystery.

A gangrel nane had seen afore
Cam' chappin' at the manse ha' door.
Some brats o' weans, doon-by, at play,
Had seen him hirplin' up the brae.
He looked the sort o' wanderin' chiel
That begs because he's feart to steal.
He chapped upon the door an' waited,
Naebody cam', he hesitated.
Nae soond in-by he could determine;
The minister, thrang at his sermon,
Ne'er heedit, an' the maid was oot,
Or galavantin' roon aboot.
The wife was makin' grosset jeely,
She never heard the tinkler keelie.
As naebody his errand speered,
Into the lobby syne he peered,
An', seein' naething else but that,
He stole the minister's lum hat.

Losh me! it raised an unco steer,
The kintry rang wi't, far an' near.
The sough o't through the parish ran,
An' roused the gleg young polisman.
He scoured the roads a' roon aboot,
Though deil a clue could he fin' oot,
But, still an' on, to show his zeal,
He let his neebour ken as weel,
An' passed the word to Ballochgyle—
"Look for a tinkler wi' a tile."

Sae Ballochgyle took up the clue.
The polis there was raw an' new.
He didna ken a single face
In a' the unfamiliar place.
There'd been a funeral that day,
An' folk their last respec's maun pay
In sober garb an' solemn style—
That's aye the way at Ballochgyle.
The roads wi' lum hats were infestit,
An' mair than twenty were arrestit.
Alas! those nabbit on suspicion
Were weel-kent men o' guid position,
Kirk elders an' sic douce-like folk.
Ye couldna ca' the thing a joke.
Deil tak' the minister's lum hat!
It spiled the funeral, weel-a-wat!
As for the minister himsel',
Neist day was Sawbath, sad to tell;
To kirk he had to gae, think on it!
A humblin' sicht, wi' jist a bonnet.

The cadger thief gat clean awa'.
He jinked the clutches o' the law.

He pit pursuers aff the scent,
They lost his tracks to a' intent
When somewhaur roon aboot Glenogle
He swapped hats wi' a tattie-bogle.
Yet he, for a' his ploy sae risky,
Was nane the better o' his plisky.

There's gumption in what douce folk say—
Crime doesna pay, Crime doesna pay!

EASY MONEY

Granny was thrang baith but an' ben,
An' och! but she was wabbit;
A' mornin' she'd been trauchled sair—
Nae wunner she felt crabbit.

Her errands a' had taigled her—
Queues aye mak' auld folk weary—
An' this was jist the sort o' day
When things gaed tapselteerie.

She couldna get the hoose redd-up,
The kitchen lum was reekin';
She skailed the poorie ower the flair;
The jaw-box pipe was leakin'.

An' doitit Granpaw, ben the hoose,
The wireless for his plaything,
Jist sat contentit in his chair
At peace, an' daein' naething.

The door-bell jowed, the twentieth time
(That bell would drive her dizzy)—
"Hey, Granpaw, see wha's at the door;
That is, if ye're no' busy."

"Fegs! that was meant sarcastic-like,"
Granpaw jaloused correctly;
He chapped the dottle oot his pipe—
"I'll answer it directly."

Sae switchin' aff the radio talk
On "guinea-pigs" (daft hobby),
Awa' he gaed in slippered feet,
Scliff-scliffin' through the lobby.

A queer-like chiel was at the door;
  His muckle neb was hookit;
His shabby claes in better days
  Gey flashy-like had lookit.

"Any old gold, old fountain pens,
  Old watches, sir?" he speered.
"I pay cash down for useless junk."
  He blinked an e'e, an' leered.

Granpaw said "Na" an' shook his heid:
  He'd seen that kind afore.
The cadger placed a fute inside;
  He couldna steek the door.

This gied the auld yin time for thocht;
  Granpaw was yince a rinner,
An' in his young an' soople days
  Gat medals as a winner.

"What use to keep thae trinkets noo?"
  Thocht Granpaw on reflection,
"Forby yon broken auld watch chain."
  He brocht them for inspection.

"Two pounds," the huxter said, an' "Dune!"
  Said Granpaw wi' nae swither.
The cash was paid; the stranger smiled
  On Granpaw like a brither.

"Any old clothes?" he askit neist—
  But Granpaw backward drew,
  "Ye'll need to speer the wife for that,
  An' she's ower busy noo."

"Then tell her I'll look back again."
The muckle neb departit;
Then Granpaw cam' to boast aboot
His bargain, gey licht-heartit.

"Ye micht hae argy-bargied mair,"
Said Granny when he tauld her.
"It's twice as muckle ye'd hae gat
Gin aiblins ye'd been baulder."

"It tak's a wife to bargain weel;
Men loup at things sae madly."
But secretly she thocht her man
Had dune the deal no' badly.

Then happy Granpaw syne gaed oot
To dauner a' his lane;
When he cam' hame prood Granny said:
"Yon man cam' back again."

"Yer auld hoose-coat I sell't to him;
'Twas neither tosh nor clean;
Ten shillin's for't I gat an' a'—
It wasna worth a preen."

Puir Granpaw's he'rt sank in his wame;
His mooth felt parched wi' thirst—
"Ma guid hoose-coat; I hope ye thocht
To tume the pooches first!"

"Guidsake! but there was naething there,"
Cried Granny, lookin' black.
"Jist twa pound notes! said Granpaw. "Gosh!
He's gat his siller back!"

MEG DUFF'S SPRING CLEANIN'

The poets sing their sangs o' spring,
  Oor he'rts to gladden;
But whiles the shadows fa' that bring
  The thochts that sadden.

Jock Duff's a rale guid-natured soul;
  An' gey weel-meanin';
There's jist yae thing he canna thole
  An' that's "spring-cleanin'."

Alas! his wife, on this gey dour,
  Against a' reason,
Aye dearly loves to scrub an' scoor
  At this dowf season.

Jock's gettin' auld: this lang while back
  He's drawn his pension;
His Meg has dune the same—a fac'
  She winna mention.

But whereas Jock is kin' o' frail,
  An' easy-oasy,
His wife is sonsy, strang an' hale,
  Gey big an' brosy.

An' can she steer the hoose aboot?
  Gey tapselteerie,
She'll turn the hale place inside oot,
  An' never weary.

The kitchen things gae ben the room,
  Room things to lobby;
To see her trachle ye'd presume
  Flittin's her hobby.

An' Jock maun help in this affair;
  There's whiles he grapples
Wi' yon bine on the kitchen flair
  Hauf fu' o' sapples.

He'll hae to wash the orra things:
  The cheeny mugs,
The angel ornament wi' wings,
  The wally dugs.

He doesna like the job ava;
  It gars him scunner
To sine the things, then dicht them a';
  Puir man, nae wunner!

Yae day, spring-cleanin' at its heicht,
  He'd thole nae mair;
  To shift the wardrobe he took fricht:
  "Ma back's gey sair."

"That means ye want to rest a spell,"
  Said Meg gey nippy;
"Get oot the road, I'll dae't masel;
  Come on, look slippy."

Up like an elephant she cam',
  As fresh's a daisy,
Shiftit the wardrobe wi' a slam:
  "Ye're jist ower lazy."

'Twas hard, when he had dune his best,
  To tak' for grantit
To smoke his pipe an' hae a rest
  Was a' he wantit.

They say that whiles a worm will turn,
An' Jock turned noo:
"Burns said that man was made to mourn—
By Jings! it's true!"

Said Meg—"Ye're weary o' the hoose;
We'll no' threep on it;
Ye'll gang the errands, be some use,
Pit on yer bonnet.

"First thing I want is some pipeclay
We've nane, I find;
Noo rin, an' dinna be a' day—
Pipeclay, ye'll mind!"

This wasna jist the peace an' quate
Jock was desirin';
But 'twas a chinge at ony rate,
An' no' sae tirin'.

Awa' he gaed, like lang-chained dug
Unleashed to play,
Wi' Meg's words ringin' in his lug—
"Noo mind, pipeclay!"

To reach the shop, ye passed the pub—
Jock didna pass it;
Let Meg delicht to scoor an' scrub—
Madness, he'd class it!

Let Meg heeze furnitur' aboot
Until she fooner;
What he was needin', there's nae doot,
Was jist a schooner!

While Meg at hame was daddin' stour
  Frae rugs an' basses,
Or skelpin' carpets, geyan dour,
  An' shinin' brasses,

Jock took his ease an 'oor or twa,
  A' cares forgotten,
Then oot he cam' refreshed an' a',
  But gey near stottin'.

Then o' his errand he had mind,
  A fac' surprisin';
Meanwhile at hame Meg's teeth did grind:
  Her birse was risin'.

She saw him frae the winda syne
  Come up the path quick:
He greeted her—"I'm feelin' fine,
  An' here's yer *bathbrick*!"

CINDERELLA

According to Granny

The waukrife weans are in their beds,
But winna steek their een;
Wee Tam maun hear a story first,
An' sae maun Jess an' Jean;
An' Granny has a rowth o' tales
That never seem to fail:—
"Noo haud yer wheesht an' harken, weans,
While Granny tells this tale:—

"There was a lord that lived lang syne,
An' he had dochters three:
Twa muckle, ill-faur'd randy yins,
An' yin gey guid, an' wee.
The big, bad besoms they were baith
Step-sisters o' the ither;
They didna lo'e the puir wee lass
That noo had lost her mither.

"An' while they in the parlour sat,
Weel busked in braw attire,
The wee yin like a kitchen lass
Was hunkerin' ower the fire.
She had nae silk or satin claes,
Nae hat, gloves or umbrella;
In rags she cooried by the hearth.
They ca'd her Cinderella.

"Yae day the Prince o' a' the land
Behoved to gie a dance;
The ugly sisters toshed theirsels,
Baith thinkin'—"Noo's oor chance!"
There was nae goon in a' the toon

Could mak' that twasome bonnie.
Puir Ella had to bide at hame,
For fun she ne'er gat ony.

"Her sisters an' her feckless Dad,
The lord, were weel awa';
She threw her dish-cloot on the flair,
An' let the tear doon fa'.
But as she by the ingle-cheek
Sat greetin' in distress,
Wha, think ye, chapped upon the door?—
Her fairy freen, nae less.

"Some kind o' aunty, I jalouse,
A gey weel-meanin' witch,
A body that could wave a wand
An' mak' guid bairnies rich.
'What ails ye, Cinderella dear?'
She speered wi' kindly glance.
'They've left ye here alane at hame:
Ye should be at the dance.'

" 'But to the ba' ye yet shall gang,
In silken goon an' a'.'
She waved her wand, an' tattered cloots
Were changed to garments braw.
The very bachles on her feet
Were slippers fine o' glass;
Nae Prince's ha' was ever graced
By sicna bonnie lass.

"An' mice were changed to horses white
To pu' her carriage braw.
Aff to the dance in muckle glee
Blithe Ella gaed awa'.

Yae warnin' word the fairy spak'—
'Dance weel, as dance ye shall,
But ye maun lea' the palace wa's
Afore the knock chaps twal.'

"When Ella reached the castle ha',
Clad in her silks sae white,
The very pipers ceased to blaw,
Her beauty dang men gyte.
The Royal Prince he loutit laich
Afore this vision fair;
He danced wi' nane but her alane
An' seemed to dance on air.

"The ugly sisters didna ken
Their Ella in this guise;
Gey chawed they watched the dance gae roon,
Wi' nane to bid them rise.
The auld lord neither saw nor heard;
His feet took him as far
As whaur the guid, drooth-slockenin' wine
Was birlin' in the bar.

"But Ella an' the Prince danced on,
Nor thocht na to devall,
Till wi' a sudden awesome jow
The castle knock chapped twal.
The lassie mindit she maun gang;
She couldna taigle mair,
But in her hurry left ahint
A slipper on the stair.

"Her braws were draigled cloots again
Afore she reached the door;

But she gat hame afore the lave,
Nane kent aboot her splore.
Her crabbit sisters hameward cam'
Afore the mornin' licht,
An' boasted o' the gallant Prince
They'd danced wi' hauf the nicht.

"As for the Prince himsel', he socht
For Ella up an' doon;
A herald wi' her slipper cam'
As crier through the toon—
'Oor royal Prince the leddy seeks
Wha'll wear this shoe o' glass!'
The ugly sisters tried it on,
Each wi' a face o' brass.

"It wouldna fit their feet ava;
Troth! but it garred them wince!
Then Ella slipped the slipper on;
By jings! that won the Prince.
Sae, weans, be kindly an' be guid;
Though beauty's jist skin deep—"
But Granny's tale is at an end,
The weans are fast asleep.

PHILOSOPHY AND FUN

THE QUIET LIFE

To bide at hame, content wi' little gear,
  To dae your daily darg, an' tak' your rest;
To look men in the face an' ken nae fear—
  The simple man jalouses this is best.

To hae a wee tait siller at your back,
  To be a help gin times are scrimp an' bare;
To hae some freens to keep ye whiles in crack,
  An' to hae peace o' mind—wha seeks for mair?

THINK NAE MAIR O' MEN

O lassie, think nae mair o' men,
  For bein-like men are no' sae rife;
Or, gin they've siller, wha's to ken
  Gin they would ware it on a wife?
A niggard husband's waur than nane;
  Console yersel wi' cups o' tea.
Mak' up yer mind to bide yer lane:
  The cat'll ayc be company.

There's dour-like men, like Janet's John,
  That grumph, but gie nae answer back;
Ye couldna thole a man like yon—
  A parrot keeps ye aye in crack.
There's crabbit men that flyte an' froon,
  An' answer back ower bauld an' free;
Let nae man boast he hauds ye doon—
  The cat'll aye be company.

There's prood wee men wi' notions big,
  Or great, stoot men like bubbly-jocks;
There's shachly men that's never trig,
  Or muckle men that's sair on socks.
Men are a gey camsteerie crood,
  Be they o' heich or laich degree;
Content yersel wi' spinsterhood—
  The cat'll aye be company.

INDIFFERENCE

Gin some atomic bomb could blaw
The earth to smithereens awa',
The folk in distant Mars micht glower,
A million miles or mair oot-ower;
They'd see a spark, a spunk o' licht,
An' say—"The stars blink braw the nicht!"

LIPPEN TO NANE BUT YERSEL

Fortune may haud mony favours in store—
  Wha can the future foretell?—
Still, if ye ettle to win to the fore,
  Lippen to nane but yersel.

Life's sic a dirdum! Ye're far frae the shore,
  Dinna in idleness dwell;
Bide for nae fair win', but pu' at the oar,
  Lippen to nane but yersel.

Maybe ye've weel-daein' freens in galore:
  Dinna staun ringin' their bell;
Gin they would help ye, they'll chap at your door.
  Lippen to nane but yersel.

What though yer bluid isna bluest o' gore—
  Dinna creep into yer shell.
What though yer ancestors coronets wore—
  Lippen to nane but yersel.

Dinna be blate, but if ever ye soar,
  Watch that yer heid doesna swell;
Keep a calm souch, but be ready to roar.
  Lippen to nane but yersel.

HER LAUCH

Your lauch, my lass, is like a bell
  That tinkle-tinkles, low an' wee;
Its fairy music casts a spell
  On a' that hear its note o' glee.

An' yet it sets me ill at ease,
  I canna meet your merry e'e;
Sae lauch at onything ye please,
  But, lassie, dinna lauch at me.

THE BONNIE LASS

Ay, lassie, ye're bonnie, fell bonnie!
  Gude kens, but ye're winsome the noo;
But Time, that'll no' bide for ony,
  Syne shall runkle thy broo.

When the beauty that canna continue
  Shall fade, an' nae langer be seen,
May the beauty o' soul that's within you
  Still shine in your een.

SING A SANG

When days are gey dowie an' dreich,
  When a' things ye ettle gae wrang,
Gin the braes ye maun sclim are gey steich,
  Pit he'rt in yersel—sing a sang.

An' no' a dowf, dreary lament,
  But a rant that'll help ye alang;
There's naething'll bring ye content
  Like the lichtsome bit lilt o' a sang.

For happiness jist is the knack
  O' feelin' that naething is wrang;
The burden is licht on the back
  That aye has the spunk for a sang!

THE DAUNERIN' BURN

The daunerin' burn gaes doon the glen
Wi' mony a twist an' turn;
It whiles rins east an' it whiles rins wast,
It whiles rins slow an' it whiles rins fast,
A daidlin', daunerin' burn.

It taigles itsel' in the amber linn
Whaur the wee troot dart an' turn;
Then it seems to ken that it's lingered lang,
An' it hurries awa' wi' a cheery sang,
This daidlin', daunerin' burn.

The burn's like mony a man I ken;
On the road we'll ne'er return
They jink alang an' hae nae great care,
But they a' get on, an' they aye get there,
Like the daidlin', daunerin' burn.

YOUTH AND AGE

I heard a lassock liltin'
  A blithe an' bonnie sang.
"The snaw's awa'," she telt me,
  "The Spring'll no' be lang."

I saw an auld wife chitter
  Gey cauldrife by the lum;
"The snaw's awa' " she telt me,
  "I doot there's waur to come."

Auld age an' youth aye differ,
  They canna baith be wrang;
Oh, happy youth, aye thinkin'
  The Spring'll no' be lang!

NIL DESPERANDUM

Sorrow to a' is sent;
  Life's sic a mixter-maxter.
Fortune may whiles relent
  When wi' fell spite ye've tax'd her;
Sometimes she'll gie a smile.
  Though wi' ill-luck ye're meetin',
Keep a calm souch the while;
  Dinna be aye greet, greetin'!

Some folk lament ower lang,
  Think their ain case sae grievous,
Aye sae begrutten gang,
  Aye wi' their tribbles deave us.
Why, though ye've tint yer a',
  Rin like a shorn yowe bleatin'?
Thole like aman ilk thraw,
  Dinna be aye greet, greetin'!

Happiness comes to a';
  Whiles it's in gey scrimp measure;
Yet, be it great or sma',
  Life gies ye some bit pleasure.
Face the fell glower o' Fate
  When wi' sair dunts ye're meetin';
Never gie in ye're bate;
  Dinna be aye greet, greetin'.

DINNA BE BLATE

Ye lads that are eident an' heedfu'
  May rise to the highest estate,
Gin ye mind but the yae thing that's needfu',
  An' that is—Ye maunna be blate.

Gin ye're clever, but hae nae presumption,
  Then aye ye maun tak' the back sate;
Gin naebody kens that ye've gumption,
  Jist tell folk, an' dinna be blate.

John Knox, yon remarkable fellow,
  Carnegie, that rose to be great,
Micht hae dee'd an' been never heard tell o',
  But they kent that they maunna be blate.

Sae blaw yer ain horn wi' the loodest,
  When ye chap at the portals o' Fate;
An' haud yer heid heich wi' the proodest,
  An' mind that ye maunna be blate.

TOCHERLESS LASS

Bonnie lassies are sae rife—
  Weel ye ken them, Megs an' Jeanies;
Fickle men that seek a wife
  Look for ane wi' gowden guineas.

What is virtue, what is worth,
  What is beauty that bewitches,
What the claims o' gentle birth
  When compared wi' solid riches?

Be a lass as black's a craw,
  Be she skelly-ee'd an' clarty,
Gin her tocher isna sma',
  She's an eligible party.

By her lane she'll ne'er stravaig,
  She'll hae joes to droon the miller;
Set her oot on Ailsa Craig,
  The waves'll wash a sweethe'rt till her.

THE MAN THAT WHISTLES

When hairst is late wi' back-end spate,
  When stooker's hauns are jagged wi' thristles,
He's never bate wha lauchs at Fate:
  Gie me the canty man that whistles!

When bonnie Kate, ye'd seek to mate,
  Flouts ye an' a' yer braw epistles,
In patience wait, she'll come yer gate,
  She'll turn yet to the man that whistles.

Aye hesitate when thrawn folk prate,
  At hasty words yer temper bristles;
Why should ye hate at sicna rate?
  Gie me the canty man that whistles!

Some prize o' Fate maun, sune or late,
  Fa' to the man o' bane an' gristle;
Dinna be blate, haud on an' wait,
  Be like the canty man, an' whistle.

AS ITHERS SEE US

A land whaur they're aye dram-drinkin' at ither folk's expense,
A land whaur they aye cry "Hoot mon!" but never a word o' sense,
A land whaur naebody lauchs at a joke because they are sae dense.

A land whaur the poacher gangs to kirk wi' nae great sense o' guilt,
A land whaur the breekless native wears the scrimpest wee bit kilt,
That's Scotland—jest prodigeous that English wit has built.

The mountain peaks o' Scotland still, like the ancient Sphinx,
Glower doon their rugged noses, an' nane o' them even blinks,
Contemptuous, ane supposes, o' what the Sassenach thinks.

POETIC ENCHANTMENT

I hear the frenzied poet cry—
"Sing on, O lark, in yonder sky!"
The bard upon his way has gone:
Obediently the bird sings on.

The poet takes a shoreward stroll.
"Roll on, thou mighty ocean, roll!"
He cries again, and thereupon
The mighty ocean tide rolls on.

O, let us marvel and rejoice
That alchemy of poet's voice
Can still, as in the days of old,
Make Nature do what it is told!

FAIR-WEATHER FREENS

When ye've siller to clink in yer pooches,
  An' a'body kens that ye're bein,
Whaure'er ye may gang ye'll be welcome,
  Ye'll no' need to want for a freen.

When ye've naething but bawbees to rattle,
  An' a'body kens that ye're puir,
For ane that'll gie ye a welcome,
  There's ten that'll ken ye nae mair.

Guid grant that ye'll aye hae the gumption
  To ken by the look in his een,
The fause, frae the true-he'rtit fellow,
  The leal, frae the fair-weather freen.

O, WAUKRIFE SEAS

O, waukrife seas that beat the shore
  An' cry the lee-lang nicht,
What secret sorrow dae ye bear
  That canna be pit richt?

O win', that souchs sae lang an' lood,
  In dule ower deep for sang,
What ails ye that ye canna bide
  In peace an' quate for lang?

The weary win', an' sabbin' seas
  That break in surges white,
Voicin' the universal wae,
  Greet for a warld gane gyte.

THE FIDDLER O' FINTRY

Kenspeckle auld Baldie ye'd ken at a glance;
  He'll trevel for miles, though the weather be wintry,
To fiddle his best at a waddin' or dance—
  A spunky anld chap is the fiddler o' Fintry.

An', faith! he can fiddle! At three score an' ten
  There isna his like at the ploy in the kintry;
His reels lift the feet o' the hirplin' auld men,
  An' grannies can dance for the fiddler o' Fintry.

His he'rt is gey young, though he kens that he's auld;
  His broo is sair runkled, his pow is gey wintry.
"There's naething like fiddlin' to keep oot the cauld,"
  Says gallant auld Baldie, the fiddler o' Fintry.

He's a'body's freen, an' at big hoose or wee,
  At manse or at cottage, he'll aye hae an entry;
An' when, in the natur' o' things, he maun dee,
  There's hunners'll greet for the fiddler o' Fintry.

THE BAREFIT BAIRN

A barefit bairn gaed up the burn
  Yae day to guddle troot;
The stream wi' mony a twist an' turn
  Gaed windin' in an' oot.

An' far he gaed an' far he strayed
  'Mang birk an' rowan screen,
Until he reached a fairy glade
  Whaur ne'er afore he'd been.

Nine puddock-stools made magic ring,
  As he could plainly see;
A mavis on a thorn did sing
  A sang o' glamourie.

Oh, bonnie, bonnie was the linn—
  For fairylan' is braw—
He sat beneath a gowden whin
  An' dreamed the day awa'.

When years gaed by a bearded man
  Cam' up the burn again,
But couldna find the fairylan'
  He'd seen that day sae plain.

WEALTH FOR ALL

The starry firmament unfurld
  As canopy by night,
The glory of the sun-lit world;
  In these we take delight.

The streams that murmur through the dales,
  The flowers so manifold,
The grandeur of the hills and vales;
  All these we may behold.

The smallest things are beautiful:
  The simplest blade of grass,
The shining pebble in the pool,
  The dewdrop's bead of glass.

There's beauty in a common ditch
  To dazzle and allure;
Then who can say he is not rich?
  Only the blind are poor!

TWA VOICES

The nicht has twa voices
  Ye hear na by day;
There's yin that rejoices
  An' yin that is wae.

The hoolet, sae eerie,
  That skraichs to the mune,
The win', soughin' dreary,
  Wi' gladness hae dune.

The wee burn, aye singin',
  That rins through the glen,
Whiles ower a linn dingin',
  Nae sorrow can ken.

Sae Joy an' Dule meetin'
  Baith gang on their way;
There's some are aye greetin'
  An' some are aye gay.

CONSOLATION

Oh, dicht yer een, an' greet nae mair;
  Gin sorrow's something sib to a',
Let's smile although the he'rt be sair,
  For tears can sine nae grief awa'.
Wi' smeddum let us thole ilk blaw;
  Dule is what ilka breist maun bear.
Let's mind, though whiles wi' Fate we thraw,
  O' happy days we've had oor share.

THE MAN THAT CAN THOLE

Life's gey unchancy, I tell ye,
  Fate never fails to tak' toll;
Whiles ye get dunts that maist fell ye—
  Gie me the man that can thole!

What though the future be hidden?
  Happiness aye is your goal;
Whiles ye get cowped in the midden—
  That's what ye jist hae to thole.

Life's gey like crossin' an ocean,
  Whiles ye get wrecked on a shoal;
Whiles ye sail safe to promotion—
  But never, unless ye can thole.

Sae thole, an' be thrawn, an' hae smeddum;
  Fortune is yours to control;
Bogles arise gin ye dread 'em,
  Sae never lose courage, but thole!

DINNA BE BLATE WHEN YE WOO

Your name may be nane o' the proodest,
  Your freens may be humble an' few,
But blaw your ain horn wi' the loodest,
  An' dinna be blate when ye woo.

Ye're taen at your ain valuation
  By lassies—sae staun in nae queue.
Pride's aye a guid recommendation,
  Sae dinna be blate when ye woo.

Nae lassie would want ye ower humble—
  Ye micht be a bargain she'd rue—
Sae gie her nae reason to grumble,
  An' dinna be blate when ye woo.

NEVER LET DAB

Gin secrets ye ken, then to naebody lippen:
  For wha can be trustit to aye steek his gab?
Ye'll meet wi' queer callans in Glesca or Kippen.
  There's clypes in a' corners, sae never let dab.

For clashin' folk ken hoo to add to a story;
  A harmless flirtation ye daurna let blab,
Or a rake's reputation'll gie ye nae glory,
  Sae keep yer ain cooncil, an' never let dab.

A spinster o' forty her age daurna mention,
  Her freens a' jalouse that her life is sae drab;
They'll hint that she's sixty, an' drawin' her pension.
  Forget aboot birthdays, an' never let dab.

Perhaps ye fa' heir to a wee puckle siller—
  Some auld aunty's nest-egg ye've managed to nab—
Yer wealth, says the gossips, noo fair droons the miller:
  Tell naething to naebody—never let dab.

IMMORTALITY

We write our names upon the sands,
  Like children in an hour of play,
And build the castles of our dreams
  That vanish in the waves away.

The names engraven on the sands
  Endure a circle of the clock;
But one man in a million carves
  His name upon the solid rock.

AFF THE FANG

Ye canna be aye in guid fettle:
  Ye may row up the sleeves o' yer sark,
But find that, whatever ye ettle,
  Ye're no' in the tid for the wark.
Ye're thowless an' canna dae muckle,
  Ye're dowff, wi' nae he'rt for a joke;
Yer faith in mankind is sae bruckle
  Ye tak' a fair scunner at folk.
Ye try to mak' haste, an' ye sprachle,
  Yer hopes are a' doomed to be dashed;
An' wark's sic a terrible trachle
  Ye feel that ye canna be fashed.
But things tak' a turn in a jiffy,
  A' at yince, ye feel gleg, an' rale guid;
Ye jalouse that ye're no' sic a stiffy,
  Ye ken that ye're noo in the tid.

COUNTRY BODIES

GLAIKIT LIZZIE

Lizzie's bringin' in the kye,
  Skelpin' them sae busy;
Losh! she's brocht the bull an' a'—
  Jist like glaikit Lizzie!

Canna milk—she'll skail the cogue;
  Hoose wark drives her dizzy;
Lippen naething to the lass,
  She's jist glaikit Lizzie.

Can she kirn, or bake a bap,
  Can she knit, the hizzy?
Na, she ettles deil a haet,
  Thowless, glaikit Lizzie!

Touzy pow that ne'er kent kaim,
  Hair that she ca's "frizzy,"
Clarty cloots her brawest duds,
  There ye've glaikit Lizzie.

Faither sicna gomeral was,
  Mither sicna hizzy,
Whatna dochter could they hae?
  Nane but glaikit Lizzie.

Folk may flyte an' rage on her;
  Flytin's mak' her dizzy;
But she says—"I dae ma best,
  I'm jist glaikit Lizzie."

Whiles she wunners aboot things—
  God's her freen, or is he?
Wantin' wits, she canna tell,
  Simple glaikit Lizzie.

Heeven help puir feckless folk
  In this warld sae busy!
O, the angels whiles maun greet,
  Pityin' glaikit Lizzie.

BED TIME

The gantin' guidman's gane to bed, for auld folk easy tire;
An' baudrons wi' his bawsint neb is speldered by the fire.
The kitchen knock has chappit ten, the lamp has flichter'd
oot;
An', reddin'-up by ingle-lowe, the guidwife gangs aboot.

Wi' watter ready for the morn she fills the parritch pat.
The pourie's on the tapmaist shelf to keep it frae the cat.
The aumrie door is steekit, an' the winnock snib is fast;
The guidwife, though the first to steer, maun aye be bedded
last.

THE TINKLER

The tinkler hunkers ower the fire,
  Whaur sodden pine-cones smeek;
He blaws to gar the wat sticks lowe,
  An' bleers his een wi' reek.

His biggin's but a tattered tent,
  Sma' bield when win's are snell;
Why he should thole a life like this
  The body couldna tell.

But ordered ways are no' for him,
  Nor toil to earn a fee:
Let prisoners dree their daily darg—
  He suffers, to be free.

THE BED-RIDDEN BUDDIE

The bed-ridden buddie is dwaibly an' auld,
Maun aye be weel-happit or chitters wi' cauld,
Yet never gets cranky or fractious ava,
But smiles to himsel' as he glowers at the wa'.

An' ye'll ken by the far-awa' look in his een
That he thinks on the bonniest things he has seen.
He minds on the braes whaur he played as a bairn,
The ben that he speeled wi' a stane for the cairn;

The woods, seen in June, wi' their carpet o' blue,
Whaur lilac, laburnum an' hawthorn grew;
The knowes in the sunshine, sae yellow wi' whins,
The burn, whaur he guddled for troot in the linns;

The muirland, sae braid, whaur the wee lochan blinked,
The rocks an' the scaurs whaur the mountain hares jinked.
The red o' the rowan, the hip an' the haw,
The bloom on the heather, he minds o' it a'.

O, bed-ridden buddie, ye gie the Lord thanks
That, when ye were soople, ye used yer twa shanks;
Ye used yer twa shanks, an' ye used yer twa een,
An' oh! whatna pleesure to mind what ye've seen!

THE TWASOME

She was a bonnie lass an' gay
  That set his he'rt alowe;
But noo her gowden locks are grey,
  To match his grizled pow.

Though noo, as canny as they can,
  They hirple doon the hill,
A frail auld wife, a boo'd auld man,
  They baith are canty still.

For Time has laid a kindly haun
  Upon his lyart broo;
The licht that in his een ance shone
  Still shines for her anew.

An' as they dauner doon the brae
  To rest in yonder howe,
She's still the bonnie lass an' gay
  That set his he'rt alowe.

COTTAR FOLK

Auld Allan and his gude-wife Jess
  Were bein-like folk and croose;
Their cottar's biggin' on the brae
  Was aye a weel-kent hoose.

Its white-washed wa's, sae clean and trig,
  Was aye a sicht to please.
They kept a coo and twa-three hens,
  Forby some skeps o' bees.

Auld Jess, sae canty and sae kind,
  Auld Allan, wale o' men,
I seem to hear their voices yet—
  "Ye're welcome, lad, come ben!"

Wi' rowth o' wark to keep them thrang,
  They aye had time to crack,
And nane would ever leave their door
  Wi'oot a "Haste ye back!"

Their cottar's hoose is roofless noo,
  Wi' dockens at the door,
The nettles and the thristles grow
  Whaur roses grew afore.

And nae fire lowes on that cauld hearth;
  But this I surely ken,
Ayont this sphere some day I'll hear—
  "Ye're welcome, lad, come ben!"

TINKLER JOCK AN' JEAN

The rain comes blashin' doon,
  Wi' blinks o' sun atween,
An' traikin' through the toon
  Come tinkler Jock an' Jean.

They plowter through ilk dub;
  The self-same thocht they're thinkin:
Hoo far's the nearest pub,
  An' wha's to pey their drinkin'?

He trauchles on in front;
  She daurna gang nae faster,
But snooves alang ahint
  Her surly lord an' master.

A tinkler's life's nae fun,
  Stravaigin' in this weather;
It's jist the blinks o' sun
  That gar them haud thegether.

MUIRTOUN MILL

Jeanie's awa' that was sae kindly;
  Jeanie's awa' frae Muirtoun Mill.
The wee burn rins doon the brae sae blindly,
  The clapper wheel o' the mill is still,
  Sin' bonnie Jeanie gaed ower the hill.

  There's naebody there that I'll remember;
  They're far awa' that'll ne'er forget
The daffin' here in the dark December,
  And the barn dance when the fun was het,
  And the lang fareweels at the gairden yett.

Jeanie's awa', and Kate and Lizzie,
  Tam and Allan, the hale jing-bang.
Three gaed aff to the toun sae busy,
  Yin's in Canada, hale and thrang,
  But Jeanie's lain in the kirkyaird lang.

Jean, dear Jean, that was aye sae kindly,
  Jeanie's awa frae Muirtoun Mill;
I'm seein' the hale place noo sae blindly,
  It's lang, lang syne, but my he'rt greets still
  Sin' bonnie Jeanie gaed ower the hill.

THE AULD PRECENTOR

I mind lang syne when I was young
Precentors led the psalms we sung.
Auld Saunders Sim I'll ne'er forget,
His ghaist aye haunts the auld kirk yet.
He nods fornenst the poo'pit there,
The sermon isna his affair;
He dovers in a kind o' dwam.
The meenister gies oot a psalm,
At ance he waukens wi' a jerk,
An' stauns, to tak' in haun the kirk.
Nae kist o' whustles leads the praises,
New-fanglet hymns or paraphrases,
He kens them a', he'll dae what's needit,
Whate'er the sang be, he will lead it.
He sterts the tune in treble key,
Then bummles doon in bass a wee;
Syne, rowtin' like a bull o' Bashan,
He fairly droons the congregation.
He sits doon pechin' when a's through,
An' wi' a hanky dichts his broo.
His look says—"I will noo adjourn—
The meenister can tak' a turn."

TAPSELTEERIE HISTORY

BRUCE AND THE SPIDER

The gallant Bruce would nae nae truce
  Wi' dour King Edward's men;
He focht them twice, he focht them thrice,
  Again and yet again.
His sixth defeat (he aye gat beat)
  Was geyan ill to thole;
He crept awa' his breath to draw
  In some safe hidie-hole.

And there he lay and lurked by day,
  And thocht on Scotland's wrangs,
And kept his bluid in fechtin' tid
  By singin' auld Scots sangs.
But dunts and dings are no' the things
  To gie the he'rt a heeze,
And whiles he thocht—"Sae lang I've focht,
  I fain would tak' my ease.

"Ochone! Ochone! A shoogly throne
  Is nae seat for the weary;
I've tholed the brunt o' mony a dunt
  Till noo I'm dowf and dreary.
Should I gie up, or keep my grup?
  Is this croon worth the keepin'?"
As thus he thocht, he vainly socht
  To pass the time in sleepin'.

Yae day King Rab, wi' gantin' gab,
  Yawned wider still and wider;
What's this he spies as there he lies?—
  It's jist a sprachlin' spider.

Abune his heid on danglin' threid
  The ettercap was hingin';
It tried to reach across a breach
  By back and forrit swingin'.

"To spin that wab, wee beast," thinks Rab,
  "Ye've ettled. Your abdomen
Supplies the threid; gin ye succeed
  I'll tak' it as an omen.
Six times ye've tried and been denied,
  Noo for yae last guid ettle!"
The spider swung, it caught and clung;
  Bruce was in fechtin' fettle.

He sprung frae bed; his men he led
  To fecht at Bannockburn;
The English host the battle lost,
  Things took a glorious turn.
And Scotland still shall staun until
  The crack o' doom divide her.
There's nocht like pluck! He'll hae nae luck
  Wha meddles wi' a spider.

THE BALLAD OF MACBETH

It fell in guid King Duncan's day,
  When Scots were kittle cattle,
That bauld Macbeth was sent to fecht
  The Danes, and won the battle.

He gied the reivin' loons their paiks;
  Their galleys a' were sunken.
As prood as Punch, Macbeth said—"Fegs!
  But this'll please King Duncan!"

And sae he took the hameward gate,
  His pipers loodly blawin';
But nane could blaw as lood's Macbeth,
  He was the cock for crawin'!

As he cam' in by Forres toun,
  He met three bletherin' witches;
He lippened to their claverin' tongues,
  They promised him great riches.

And yin auld carlin, far frae blate,
  At her twa cronies winkin',
Cried—"Hail! Macbeth, oor future King!"
  Guidsakes! that set him thinkin'.

King Duncan, when Macbeth cam' hame—
  Jist as foretel't the witches—
Gied him braw titles, honours, lands,
  And splairged aboot the riches.

And yet Macbeth was keen for mair
  (Some folk micht tak' a scunner);
He thocht—" 'Twas said that I'd be King—
  Hoo could that be, I wunner?

"I'll ask the wife, she'll maybe ken."
He telt his winsome leddy;
She was gey gleg to tak' the hint—
"Gae get your dagger ready.

"This nicht King Duncan ludges here;
The problem ye maun grapple;
When he's asleep, jist tak' your dirk
And stick it in his thrapple.

"And ne'er let on ye did the deed;
But raise a shout o' 'Treason!';
And, to uphaud the throne, sit on't—
A patriotic reason."

Macbeth was kin' o' sweer to play
This plisky on his master:—
"Would that no' be a dirty trick?
We'll aiblins meet disaster."

"Awa', awa', ye caitiff loon,
The priest'll sain your sinnin';
Gin ye're sae feart, I'll dae't masel;
A croon's weel worth the winnin'."

The throu'ther limmer had her will;
Auld Duncan's 'oors were numbered,
That nicht Macbeth jinked up the stair
To whaur his master slumbered.

The sentries wi' a lavish haun
Had been weel filled wi' whisky;
They slept as soon's the deid, and bore
The wyte o' that nicht's plisky.

Neist morn, King Duncan's corp was found.
The courtiers, backward shrinkin',
Heard bauld Macbeth cry—"Oh, wae's me!
I'll tak' the throne, I'm thinkin'."

The switherin' nobles couldna tell
To 'gree or to refute it;
Though a' jaloused the deed Macbeth's,
They said nae mair aboot it.

They feared to gang that gate theirsels.
To carry things still further,
Macbeth pit rivals oot the road—
For murther leads to murther.

And though wee Malcolm, Duncan's heir,
Escaped clean ower the Border,
Syne bauld Macbeth sat on the throne,
And brocht things into order.

His wife a Queen, himsel a King,
And yet Macbeth felt dreary,
For ghaists o' folk he'd pit awa'
Kept hauntin' him sae eerie.

Yae day he socht the witches three:—
"What's brewin' in yer kettle?
For I jalouse ye'll hae some news
To pit me in guid fettle."

The runkled carlin's eldritch lauch
Was gey uncanny hearin':—
"Till Birnam Wude to Dunsinane march,
There's nocht ye need be fearin'."

"Oh, Birnam trees are steeve and strang,
  Unless thy words be faithless,
Until they march to Dunsinane,
  I'll be a King, and skaithless."

Macbeth gaed hame, his mind at ease;
  Then word cam' frae some warder:—
"Young Malcolm and the dour Macduff
  Are marchin' ower the Border.

"They come wi' banner and wi' drum
  A vengefu' host advancin';
The sun is on their swords and spears
  And on their armour glancin'."

"E'en let them come," quo' bauld Macbeth;
  Then, "Summon ilka vassal.
I'll to my hauld o' Dunsinane,
  And keep my croon and castle."

When Malcolm's men to Birnam cam',
  Each cut a bough asunder,
And held the branch abune his heid
  To march its shelter under.

"What's this that comes?" cried fey Macbeth,
  "Dae my twa een deceive me?
Dae ghaists and trees thegither walk
  To gar my reason leave me?

"Come death, come doom!" He fechtin' fell;
  Sic bluid the soil enriches.
Tak' warnin', folk, and lippen nocht
  To tales o' bletherin' witches.

THE BALLAD OF RIZZIO

O, whatna ghaist is it that walks
  Through Holyrood ilk nicht,
When midnicht's chappin' on the knocks
  And stars and mune are bricht?

And whatna eldritch skraich is yon
    That's heard upon the stair?
'Tis Rizzio's wraith that still dreids skaith;
  His he'rt's bluid dyes the flair.

When bonnie Mary, Scotland's Queen,
  Cam' hame again frae France,
She brocht ance mair to Holyrood
  The glamour o' romance.

For she was winsome, she was young
  And she was wondrous fair;
And she maun wed some prince or Lord
  To raise a Scottish heir.

She had the wale o' courtiers braw
  And wooers by the dizzen,
And yet she wed young Darnley
  That was her near-haun kizzen.

Wi' gladsome jow the auld kirk bells
  O' Edina did ring;
A prood, prood man was Darnley,
  He ettled to be King.

But Mary was a Stuart bauld,
  And Queen in her ain richt;
Nae Consort e'er her throne would share:
  He shone wi' lesser licht.

And jealous Darnley glunched and girned
  At her, and took the dodds;
But Mary lauched at a' his strunts,
  And said:—"It mak's nae odds."

Noo Rizzio, a fremmit chiel,
  Sae black-avised and sturdy,
Cam' ower the sea frae Italy,
  Bringin' his hurdy-gurdy.

And Mary, aye for music daft,
  Brocht him to Holyrood,
To play the lute, the fiddle, flute
  Or onything he could.

Syne Rizzio, wha likit fine
  To hob-nob wi' his betters,
Was fee'd to serve the Queen as clerk,
  And write her screeds o' letters.

And whiles he sat at Mary's board
  And sang Italian ballants,
And twanged awa' at his guitar
  To scunner courtier gallants.

"This upstart lad," thinks Darnley,
  "Is heidin' for disaster;
Queen Mary likes him better far
  Than me, her lord and master.

"I'm shair he whispers in her lug
  And clypes o' my misdeeds;
I'll gie this foreign loon his paiks;
  Kail through the reek he needs!"

And Darnley syne has hatched a plot
  Wi' twa-three crabbit lords
Wha couldna thole Italian sangs.
  They buckled on their swords.

That nicht for Queen and leddies braw
  The royal board was drest;
And Rizzio there, like lintie-cock,
  Was liltin' at his best.

When clampin' up the stair was heard
  The tramp o' armed men;
They chapped na at the chaumer door,
  But jist cam' breengin' ben;

And Rizzio weel micht dreid their steel;
  The sang choked in his thrapple.
The gurly lords they spak' nae words,
  But on him they did grapple.

In vain the Queen wi' angry een
  Has ordered and implored;
Though Rizzio clung to her coat tails,
  Nae help she could afford.

They dang him doon, they stabbed the loon
  And trailed him doon the stairs;
His skirls were silenced by their swords,
  In spite o' threats and prayers.

And when the dastard deed was dune
  The slayers slunk awa';
But bluid was on the flair and stair
  And splairged the palace ha'.

"Dicht up this mess," Queen Mary cried.
  "My nobles are ower frisky.
I'll gar Lord Darnley rue the day
  He played this queer-like plisky."

And Time brocht vengeance, fell and shair:
  It's ill to mell wi' queens,
For Darnley in his bed yae nicht
  Was blawn to smithereens!

BIRDS AND BEASTS

THE PEACOCK

The peacock's a kenspeckle fowl,
  But though he's big and braw,
His voice is jist an eldritch yowl,
  Nae music in't ava.
He struts aboot as prood's a king,
  But wha would say that he can sing?

And Losh! his lordship canna flee:
  Ye never saw the like!
Guidsakes! an unco fash has he
  To flichter ower a dyke.
The peacock, though he's big and braw,
  Has nae accomplishments ava.

The blackie, in its sober suit,
  Is aye in singin' fettle;
The wee bit speug that flees aboot
  Does mair than peacocks ettle.
Thus grandeur we may whiles assess:
  Fair-feathered fowls—but fushionless!

THE LAMB

On the side o' a brae,
  On a cauld April morn,
While the rain cam' in blashes,
A wee lamb was born.

He hoasted a wee,
  Syne gat on to his legs;
Then he stacher'd an' fell,
  They were gey shoogly pegs.

But he sprachled ance mair
  Till he stood on his feet;
An' he thocht to himsel'—
  "Faith! it's cauld an' it's weet!"

"It's a queer kintry this,
  I'm no' taen wi' its look.
Will this be my mither?
  I'll ettle to sook."

The wee lamb sune thrave,
  For the sun gied a blink;
An' syne he played cantrips
  Atween ilka drink.

THE ROOKS

Now the sun is sinking low,
  Gloaming hour is nigh;
Clans of rooks that homeward go
  Flit across the sky.

Black battalions' tattered ranks
  Speeding through the air;
Sentinels upon their flanks
  Croaking out—Beware!

Soon, aloft in airy realms,
  Clustering they fly,
Wheeling there above the elms,
  Cawing—who knows why?

Rooks, it seems, must have their ploys
  Far beyond our ken;
Doubtless they have woes and joys
  Similar to men.

MILKIN' TIME

The guidwife kens her kye by name,
Wi' coaxin' voice she cries them hame;

Morag, Mailie and sonsy Sue,
Queenie, coo wi' the bawsint broo;

Bessie and Jessie, names that rhyme,
Come to the byre; it's milkin'-time!

Into the close come the gawsy kye,
Each gets a word as it gaes by;

Proochy leddy! Noo, come awa',
The byre is ready, it's trig and braw.

Your sta' is redd, and there's clean new strae,
And a' thing's richt that a coo maun hae.

There's yellow clover to fill your wame.
My bonnie kye, come hame, come hame!

SEA-GULLS

Where the billows surging high
Break in crests of foam,
There the screaming sea-gulls fly,
White against the sullen sky,
Wheeling with an endless cry
O'er their ocean home.

Wherefore should you mournful call,
Sea-gulls wild and free?
Are you mariners in thrall
To the sea that drowned you all,
Old, unhappy souls of all
Sailors lost at sea?

AULD BAUDRONS

Auld Baudrons is a sonsy cat;
He likes the fire, nae doot o' that.
He sits fornenst it on the rug,
An' dichts, wi' spurtle-paw, his lug;
A sign weel kent by ony wean—
The morn's mornin' we'll hae rain.

His sleekit coat's the sheen o' silk;
He dreams o' mice—or is it milk?
Oh, cheety-pussy, I can tell
Ye care for nane, but jist yersel.
Gie me a dug, a' bark an' bristle,
That loups sae blithely at my whistle.

THE CORNCRAKE

I passed by the hayfield in pride of the morning,
  The larks sang above me, all life seemed awake;
But through the long grass came a harsh note of warning,
  The corncrake was calling: crake-crake! crake-crake!

With no song to sing but that note so discordant,
  Does life not seem good to you, bird of the field?
Why answer the lark with that music so mordant,
  When all other birds their sweet melodies yield?

I passed by the hayfield in cool of the gloaming,
  The sky was still red where the sun had last shone;
The lark's song had ceased, and the birds were all homing;
  The grass had been mown, and the corncrake was gone.

THE CRAWS

The craws are weel-drilled sodgers o' the sky
  See them wheel richt aboot wi'oot a swither;
They're randy, reivin', thievin' birds forby,
  Yet they're a clan that hauds gey weel thegither.

Their sentinels are gleg frae morn to nicht.
  A thousan' wings, they flee as yin, sae tireless;
They ken the airt o' danger in their flicht
  By some uncanny instinct, queer as wireless.

Nae feckless tattie-bogle frichts them lang;
  The wee herd's rattle scares the craws nae further;
But when the fermer's shot-gun gies a bang,
  They're up an' aff, they ken that noise means murther;

WEE RED-COAT SODGER

When snell win's gie a hint o' snaw,
  An' mists hing ower the mountain sides,
Though ither birds may flee awa',
  The robin bides.

For robin kens his hame is here,
  He is nae fleetin' summer lodger.
He tholes the frost an' winter drear,
  Wee red-coat sodger.

Wi' gleg, bricht een, sae wide awake,
  He's happin' at your door sae dainty;
Sae spare a crumb for Robin's sake,
  When ye hae plenty.

THE PARTAN

The runkled fish-wife, Bella Broon,
  Kenspeckle in her shawl o' tartan,
Had treeled her barrow up an' doon,
  An' cried her fish through a' the toon
Braw haddies an' a muckle partan.

When by there cam' auld Duncan Nish,
  The shepherd body, wi' his collie;
He stopped to speir the price o' fish;
  The dug's lang tail gied but yae swish:
The waukrife partan grupped it brawly.

The collie, bitten by this bug,
  That wouldna lowse, awa' gaed dartin'.
Cried Bella:—"Whustle on yer dug!"
  But Duncan turned his deefest lug,
An' answered:—"Whustle on yer partan!"

OOR MORAG

She's no' like ither Ayrshire kye,
  She walks like ane that's gently born;
There's Hielan bluid in her forby,
  Ye'll see it in her hide an' horn.
Wi' e'e sae black, an' bawsint broo,
  That's Morag, oor kenspeckle coo.

She's never kent to misbehave,
  Nor clart hersel' in dubs or mire.
Her milk is richer than the lave.
  She's aye the first to reach the byre;
An' aye she fills the coggie fu'—
  Morag, oor ain kenspeckle coo.

THE HERON

His haunts are by the shallow strands
  Of unfrequented streams;
Behold, on stilt-like legs he stands
  And with hunched shoulders dreams.

His image, mirrored at his feet,
  By rippling waters blurr'd,
Shows him aloof, reserved, discreet,
  A melancholy bird.

This solitary misanthrope
  A silent vigil keeps;
But now he has abandoned hope,
  He watches not, but sleeps.

He stands as stiffly as a log,
  He blinks but once or twice—
Out shoots his neck, a wriggling frog
  Is swallowed in a trice.

THE BONNIE KYE

There is naething that I see
When stravaigin' ower the lea
Gies sic pleesure to the e'e
As the kye;
Let the herd be big or sma',
They're sae gaucy an' sae braw
I keep glowerin' ower the wa'
Passin' by.

Kye are sonsy an' sedate,
An' they chow the cud sae quate—
Though a bull whiles gangs his gate
Geyan dour—
But a couthy Ayrshire coo,
Wi' a bonnie bawsint broo,
I could staun an' hear her "moo"
By the 'oor.

Some tak' pleesure in a pig,
That is onything but trig,
An' will plowter an' grow big
In a sty;
Some think Clydesdales are a treat,
Wi' their muckle clampin' feet;
But a coo's gey hard to beat—
Gie me kye.

TO A ROBIN ON MY WINDOWSILL

Thou wee, rid-breistit, bricht-e'ed chappie,
That on my winnock gies a rappy,
Though thou'rt a beggar, yet sae happy
Thou com'st hobnobbin',
I'd share my hinmaist crumb an' drappie
Wi' thee, dear robin.

When wintry win's, sae snell an' bitter,
Blaw roun thy bield, an' gar thee chitter,
Swift to my sill, wi' freenly twitter,
Thou com'st to plead;
Thou shalt na seek in vain, wee cratur,
I ken thy need.

I haud nae strict an' narrow creed;
But should there come some day o' dreid,
When to a Greater Power I plead,
By fell Fate driven,
May I find succour that I need
As freely given.

THE LOST COLLIE

No' a face that I ken,
  Thrangity, reek an' noise,
Naething but strange-like men,
  An' weans wi' their ain bit ploys.
Seekin' him far an' near,
  My he'rt dunts fast an' faster:
Shairly somebody here
  Kens whaur he's gane, my master!

Cockin' my anxious lugs,
  Hidin' my fears doon deep,
Speirin' at daft-like dugs
  That hae na the smell o' sheep;
Tryin' to fin' some trace
  In a' the streets I've crossed,
Keekin' in ilka face,
  Does naebody ken, I'm lost?

THE CUCKOO'S CALL

The cuckoos are crying by hill and by hollow,
  The cuckoos are crying like children at play—
Hide-and-seek! Hide-and-seek! Follow, who'll follow?
  Wandering errant birds, whither away?

The cuckoos are crying till fall of the gloaming,
  The cuckoos are crying far up the dim glen,
Foolish ones, gadabouts, cease from your roaming:
  Night mists are creeping o'er field and o'er fen.

A CITY SPARROW

Wee flichterin', stoury-breistit cratur',
  That haps sae bauldly roun' ma feet,
It's shairly no' a law o' Natur'
  That ye should bide in city's street,
Awa' frae guid green fields an' trees,
  Whaur in the lift the laverock flees.

The roof-taps an' the lums sae cheerless,
  Means hame to you an' kindred speugs.
Your e'e, sae bricht, sae frank an' fearless,
  Is watchfu' aye for cats an' dugs.
Whaur tram-lines rin through streets o' stane,
  Ye mak' a play-grun' o' yer ain.

What ails ye at the bonnie kintry,
  Awa' frae reek an' smeek o' toil?
Get oot o' this! Awa' to Fintry,
  To Drymen or to Aberfoyle!
Gin I had wings, I'd no' be sweir
  To flee awa' gey far frae here!

IN TIME O' WAR

MARCHING MEN

Marching men, marching men—
Clear the way for the marching men!
The rhythmic beat of the tramping feet
Is heard once more in the city street,
And from quiet village and lonely glen
The pipes are calling the marching men.

Marching men, marching men—
An endless stream are the marching men!
Black Watch, Seaforths and Gordons Gay,
And bold Argylls go the same grim way.
To face a future beyond their ken
As their fathers went, go the marching men.

Marching men, marching men,
Cheer, if you will, the marching men!
Soldier fathers breed soldier sons,
Who pay their toll to the greedy guns'
Once more Scotland, and yet again,
We give full measure in marching men.

Marching men, marching men—
Shall we ever be finished with marching men?
Shall the world wax wise ere it waxes cold?
Shall we grow in wisdom as we grow old?
Shall the sword give place to the potent pen
And a "Last Post" sound for the marching men?

THE WAG-AT-THE-WA'

Oor wag-at-the-wa' was an auld-farrant knock,
There ne'er was a better or bonnier clock.
Its tick was sae lood ye could hear it oot-by,
An' its chap in the mornin' would bring hame the kye.
My faither aye said—"Let a' troubles befa',
But let naething gae wrang wi' oor waggity-wa'."

An', nicht efter nicht, when the knock chappit ten,
He wound up its weichts ere to bed he gaed ben.
Exact to the meenute the hauns aye gaed roon,
It ne'er took the strunts, an' it never ran doon.
Till yae nicht, wae's me! when the sirens did blaw,
A German plane "blitzed" oor puir waggity-wa'.

The hoose tummle't doon wi' the force o' the blast,
But auld waggity-wa' to the gable stuck fast;
Its face was awa', but it ne'er seemed to quiver,
Its tick was as lood an' as dour-like as ever.
An' my faither declared—"Let the German rogues blaw,
They've no' taen the he'rt frae oor waggity-wa'."

A bomber, and right overhead:
  Hark! the drone of its mighty propeller!
Cries Pa, as he bounds from his bed,
  "We'd better get down to the cellar.
Get your gas-mask, and hurry, my love!"
  Says Ma, with her calmest demeanour,
"That noise is the folk up above;
  They are using the vacuum-cleaner."

THE KIRK PARADE

Nae Sawbath peace is on the toun the day,
  Though folk are a' in kirk-gaun claes arrayed;
The sodgers frae the camp come up the brae,
  Wi' skirlin' pipes they mairch to Kirk Parade.
Nae psaulm-tune either do the pipers play,
  But "Hielan Laddie," debonair an' gay.

The beadle, yon perjink wee cockalorum,
  Minds that he was a sodger yince himsel';
He mairches in "the beuks" wi' due decorum,
  Then mairches oot again to jow the bell;
An' even the solemn elders at the plate
  "Staun to attention," lookin' geyan blate.

The sodgers fill the body o' the kirk,
  The aisle re-echoes to their tramp, tramp, tramp:
Their sergeant-major, glowerin' like a stirk,
  Whispers the things he'd say oot lood in camp.
Bairns in the gallery keek doon an' say:
  "The service isna hauf sae dreich the day."

The minister a spate o' words lets flow,
  He's waled the maist pugnacious o' his sermons,
He tells hoo Joshua dang doun Jericho,
  An' gets men in the tid to fecht the Germans;
Glad o' the chance, he gies a lang oration:
  It's seldom he gets sic a congregation.

The kirk has skailed, an' doun the gate again
  The street re-echoes to the tramp, tramp, tramp.
"Bonnie Dundee" is noo the pipes refrain;
  Through Autumn hedge-rows winds the way to camp.
Heich in the lift are birds upon the wing:
  "Let us unite in praise," the laverocks sing.

THE ITALIAN PRISONER

He delves the soil with leisurely abstraction,
  This exile on our shore;
With ever and anon a pause from action
  To view the landscape o'er.

Cold is this isle to which mischance has bound him,
  For Italy he pines;
Could he but see the Appennines around him,
  The terraces of vines!

He sighs—unmindful of the battle's danger,
  The conflict waged for Rome.
He only knows that here he is a stranger,
  And that he longs for home.

BALLIKINRAIN

The red rowan berries gleam bricht on the tree.
The hairst-fields, sae braid, are a braw sicht to see,
For the hot sun o' August has ripened the grain,
An' they're thrang at the reapin' roon Ballikinrain.

There's peace in this valley, untroubled by war,
Though some that were bred here hae wandered afar;
The dear lads, the dour lads, that fecht to maintain
This peace an' this beauty roon Ballikinrain.

SUMMER NIGHT

The moon has dipped her horn behind the hill,
  A few faint stars still glimmer in the sky;
The fragrance of the hawthorn lingers still
  Along the hedgerows where the cattle lie.

The night is full of mystery and charm,
  Peace dwells upon these meadows; but to some
Darkness brought no soft slumbers, but alarm.
  Hark! how the droning bombers homeward come!

REMEMBRANCE

He was so debonair, without conceit;
  He was the merriest when things went wrong;
On slogging marches, when we felt dead beat,
  His was the voice that raised the cheerful song.

We cannot mourn for him, the brave, the true,
  We seem to feel his presence with us yet;
We hear his laughter, and the voice we knew
  Bidding us not to grieve—or to forget.

IN NORMANDY (1944)

The tall and stately poplars grow
Along the hedges, row on row—
Or did, until some weeks ago,
In Normandy.

But now the war-grimed soldier sees
The blasted stumps of shattered trees
That once were beauteous in the breeze
In Normandy.

Alas, for poplars straight and tall
That, stricken thus, ultimely fall!
War's malison is over all
In Normandy.

O' Britain of the oak and pine!
What stalwart saplings of thy line
Have fallen, far from fields of thine,
In Normandy?

THE STARS STILL SHINE

The black-out, like a threat of doom,
  Over the sombre city lies;
But, dwelling in the streets of gloom,
  Look upward to the skies.

As prisoners, through their prison bars,
  Behold the beauty of the night,
And all the plenitude of stars
  Shining serene and bright,

So look, and let your faith be strong;
  The heavens proclaim with cosmic sign—
Above the mirk of grief and wrong
  The stars still shine.

And these same stars, serene and cold,
  That nightly to the skies return,
Shone on Thermopylae of old
  And Bannockburn.

And do they shine for you less bright?
  And do the winds not echo still
A shout of Freedom in the night,
  Like trumpet shrill?

DO THEY REMEMBER?

There comes an end to mourning and to weeping,
  And silence falls upon the fields of strife;
What of the fallen—are they quietly sleeping,
  Who gave their lives to save our nations' life?
Or do they dream, in lands beyond our ken,
  Of this old world where once they moved as men?

Do they remember us in some dim region
  Beyond the confines of our time and space,
Where happy warriors, legion upon legion,
  Troop on in fellowship of rank and race—
Marching through fields where monarchs own no sway;
  Camping by streams which know nor night nor day?

Do they remember? Surely they remember,
  And could they send a message it would be
To quench the fires of hate, stamp out each ember,
  Forget old wrongs, make no new enmity;
But keep the flag of Freedom flying high,
  That men may say—Not vainly did they die.

FREEDOM'S HOME

We built a home for Freedom here, and free it shall remain;
We built it with our blood and tears, our labour and our pain.
No shadow cast by tyranny shall darken it again.

We built a bastion on a rock; a rampart round it runs;
'Twill stand for ever and a day against all hostile guns;
Our wall is built of hearts of oak, the valour of our sons.

We built a shrine for Faith and Truth within these spacious
halls;
The spirit of unconquered man shall dwell within its walls,
And Time shall crumble into dust before its altar falls.

WAR CEMETERY

Here, in this bivouac, sleep the tired warriors;
  Weary of warfare, they now take their rest,
Captain or corporal, rank makes no barriers,
  Each in his blanket is happed with the best.

No more reveille shall wake them from slumber;
  They, going forward, far out of our ken,
March with a glorious host without number.
  Not here your final camp, brave soldier men!

WHIGMALEERIES

THE DEIL GAED OOT FOR A DAUNER

The deil gaed oot for a dauner
  Frae his lowin' hame doon-by:—
"I'll tak' a turn up yon'er
  An' see what I can spy."

He saw a coalman's lorry
  Wi' bags o' stane patrol;
"Some day I'll no' be sorry
  To show him better coal!"

The deil gaed oot for a dauner:
  A courtroom met his gaze;
A man they ca'd "Your Honour"
  There dealt oot "Sixty days."

The deil he snicher'd loodly:
  "I'll prison yon auld wife
That sits there noo sae proodly
  For everlastin' life!"

The deil gaed oot for a dauner
  'Mang fields o' grazin' kye,
An' there, as he did wan'er,
  The hunt cam' ridin' by.

He saw a rid-coat joker,
  Wha "Tally-ho!" did yell:
"Some day wi' a rid-het poker
  I'll chase that loon through hell!"

THE SAND GLASS

Golden sand of the desert
  Imprisoned in this glass,
Shows, as it slowly dwindles,
  The measured minutes pass.

Golden sand of the desert
  In far Arabia found;
Once it was trod by pilgrims,
  Pilgrims to Mecca bound.

Golden sand of the desert
  Ground to a powder fine;
Camels have padded o'er it
  Laden with spice and wine.

Golden sand of the desert,
  Now dribbling to the dregs,
Measures the bare three minutes
  It takes to boil the eggs.

THE PUIR WEE MAN.

There ance was a puir wee man in Fife,
Ricky-dicky-doo-dum-day!
Wha ettled lang to win a wife,
Ricky-dicky-doo-dum-day!
But the teeth were black in his muckle mooth,
An' his skelly een looked North an' Sooth,
Ye ne'er saw an uglier man, in truth,
Ricky-dicky-doo-dum-day!

A weedow wife in Largo toon,
Ricky-dicky-doo-dum-day!
Wi' weeks o' wooin' he brocht roon,
Ricky-dicky-doo-dum-day!
Her errands he did gladly rin,
He thocht at last her he'rt to win,
She couldna see him—she was blin',
Ricky-dicky-doo-dum-day!

He speered the word: she gied consent,
Ricky-dicky-doo-dum-day!
The banns were cried, an' hame they went,
Ricky-dicky-doo-dum-day!
They're wedded noo, he's in a creel;
Her flytin' tongue's the very deil;
She's blin', an' he wishes her dumb as weel,
Ricky-dicky-doo-dum-day!

HUMAN STORY

Life's a kind of serial story;
  Generations come and go;
Some write pages full of glory,
  Some write chapters full of woe

Slowly, slowly plots unravel;
  Through them all the same theme runs,
For, however, far we travel,
  We remain our father's sons.

Every fault and every failing
  That our earlier chapters vex't
Shall, our efforts unavailing,
  Be "continued in our next."

THE TEMPTER

The deil, frae a' morality exempt,
Gaed oot the wife o' Potiphar to tempt.
But wi' her witchin' e'e, an' waist sae slim,
The deil be in't, the hizzy tempted him!

THE SHOOTING TENANT

The Tenant's awa' to his hame in the Sooth;
  They've steekit the Lodge for anither lang year.
Guid-bye and guid riddance! To tell ye the truth,
  The Tenant was no unco popular here.

A crabbit wee man—blame his liver for this—
  He shot a wheen birds and he frichtit a lot;
Aye bleezin' awa' for a hit or a miss,
  He gied the puir keeper a scowther o' shot.

Though gey peely-wally, he didna lack guts—
  He'd pey'd for his sport, and he'd hae't or he'd dee.
Ye'd see him sit chitterin' there in the butts,
  A dreep at his neb and sic ire in his e'e.

And whiles through the heather he'd crawl on his wame;
  To bring doon a stag on the hill he would strive.
But never an antler the mannie brocht hame;
  The midges and clegs maistly ate him alive.

The Tenant's awa' to his hame in the Sooth,
  A dose o' rheumatics his sole souvenir.
He threeps he's been swindled. To tell ye the truth,
  The Tenant was no' unco popular here.

REPENTANCE

Lang syne, a hunner years and mair,
When laws on theivin' folk were sair,
A puir auld gangrel, Jamie Young,
On Stirling gallows ance was hung.
He, bein' fu' a wheen o' days,
Stole frae a hedge some duds o' claes,
And niffered them, to mak' him happy,
For yae mair sairly-needit drappie.
But Faith! the Law sune fand him oot,
And he was doomed wi'oot na doot;
For, sad to tell, in drunken splore,
He played that plisky ance afore.
Ower sune the fatal day cam' roun';
The deid-bell jowed its awsome soun';
And Jamie on the gallows stood,
Weel glowered at by the awe-struck crood.
Wi' grim, dark death he noo maun grapple;
But, as the rape gaed roun' his thrapple,
They speered at him, in kindly way,
Gif he had onything to say.
"There's jist yae thing," said puir auld Jamie,
"It's—this'll be a lesson tae me!"

WHEN SPRING CLEANING BEGINS

The hoose is tapselteerie, the wife is fu' o' fun,
My heid spins like a peerie—spring-cleanin' has begun.
The carpets, a' weel-skeplit, are rowed up on the flair;
The weemen canna help it when spring is in the air.
The stoury things are dichtit, or beaten like a drum;
The fires can no' be lichtit until they soop the lum.
Like Noah's doo—ye're mindin', it found nae restin' place—
Baith but an' ben I'm findin' mysel in sicna case.
It mak's me aye sae cranky, I canna see my pipe;
I canna find a hanky to gie my neb a wipe.
I've got a kin' o' feelin' I'm bookit for some ploy—
Whitewash the kitchen ceilin', oh, that would gie me joy!
For some queer, unkent reason, wives yearly maun gae mad;
Oh, Spring is no' the season when mankind can be glad!

MY GRANNY'S WILL

My granny dee'd an' left a will,
  A will I'd gien my lugs to hide;
Nae writer body's legal skill
  Its canny terms could set aside.
The life-rent gaed to Aunty Ann
  O' a' she had, an' syne to me;
But though she's yont the allotted span,
  My dour auld aunty winna dee.

She looks as frail's a caun'le flame,
  A fuff o' win' micht blaw her oot;
An' yet her health would pit to shame
  The steevest stot, the brawniest brute.
Her appetite would fricht the craws,
  An' yet she's thin as ony rake;
She's toothless, but has soople jaws,
  She munches tripe or pope's-eye steak.

To Rothesay she will whiles retire,
  She says saut watter does her guid;
She'll tak' a dook, an' no' expire.
  There's brandy in her veins, no' bluid.
For mony a year she's jinkit Death,
  She's ninety an' she's leevin' still.
She'll see me pech my hinmaist breath!
  Oh, weary fa' my granny's will!

THE BAIRN'S BITTOCK

THE WAUKRIFE WEAN

Michty! whatna fractious bairn,
  Winna steek his een;
Granny doesna ken ava
  What sic pliskies mean.
Waukrife laddies whiles get paiks—
  Think ye ye'll get nane?
Sandy wi' the sair tawse,
  Come an' skelp this wean!

Would ye throw the blankets aff,
  Cast them on the flair?
Sandy wi' the sair tawse
  Is comin' up the stair;
Hear his feet gae clamp! clamp! clamp!
  Noo he's comin' ben,
Let him see ye've gane to sleep,
  He'll gae hame again.

Ay, ye'd better hide yer heid,
  Let me hap ye ticht;
Sandy wi' the sair tawse
  Gies ye sic a fricht.
That's a bonnie bairnie noo,
  Cuddlin' cosy there;
Sandy wi' the sair tawse,
  We dinna need ye mair.

RAINY-RAINY-RATTLESTANES

Rainy-rainy-rattlestanes,
Blatter on the winda-panes;
Dinna let the bairnie play,
Keep him in the hoose a' day.

Rainy-rainy-rattlestanes:
Drumly watter doon the drains,
A' the burns are in a spate,
Skelpin' doon at sicna rate.

Jucks may plowter through the dubs,
In the glabber seek for grubs;
Naebody'll shoo them hame:
Drookit bairnies aye get blame.

Rainy-rainy-rattlestanes,
Blatter on the winda-panes;
Dinna let the bairnie play,
Keep him in the hoose a' day.

THE FAIRIES OF IONA

Columba sailed from Erin in the days of long ago,
And landed on Iona, as all Scottish children know.
He said—"The grass grows greener here, the sands are white
and fine:
Would this not be the splendid place in which to build a
shrine?"
And all his young disciples said—"Indeed, it would be so."
And they built their church upon that isle these many years
ago.

But O, the fairy folk were sad to see these walls arise:
Iona was their happy home and sacred in their eyes.
No more they held their revels on the white and shining sand,
For monks were men of solemn mien who would not understand.
So the little people vanished, and are no more to be seen
Around the little bays or where the machar grass is green.

The old grey walls are crumbled now, but still the old church
stands,
A holy place that people come to see from many lands;
And good Columba rests in peace, asleep with countless kings,
Beneath Iona's stones that hide all trace of fairy rings.
But the air has got a magic tang that cheers the heart like wine,
And still the grass grows greener there, the sands are white
and fine.

CRIME AND PUNISHMENT

Yae autumn day—I mind it still—
A wee lad daured to plunk the schule.
The laverock in the lift was singin';
The hazel trees wi' nuts were hingin';
The brambles grew in weel-kent neuks.
Ahint a hedge he hid his beuks;
Guid kens, an unco staw they gied'm!
Oh, whatna glorious thing is Freedom!—
For this heroic bluid's been spilt—
But, haunted by a sense o' guilt,
The wee lad couldna weel enjoy
The gleesome rapture o' his ploy.
Fornenst him, for this breach o' laws,
Dangled the menace o' the tawse.
Whaure'er he gaed, by burn or brae,
This fell foreboding spiled his day.
The paiks that he the morn maun thole
Were gall and wormwood to his soul.
Wi' heid hung doon in fricht an' shame,
A weary sinner wandered hame.
Earth were a happier place, but dafter,
Could skelps come first, an' joys come after!

THE SPEIRIN' LADDIE

A puddock sat upon a stane,
  When by there cam' a speirin' laddie;
Said he—"Is this a sign o' rain?"
  Hey-hum-ho-haddy.

He speired the question up an' doon,
  He speired, an' better speired his daddie;
He speired the neebours roon an' roon.
  Hey-hum-ho-haddy.

"The puddock's hame should be a dub,
  There's plenty dubs aboot Craigmaddie,
What garred it sit there? That's the rub!"
  Hey-hum-ho-haddy.

"A puddock, hunkerin' on a stane,
  Cocked like a gowf-ba' teed by caddie,
Maun hae a meanin' o' its ain."
  Hey-hum-ho-haddy.

His mither, pitten to the test,
  Said—"Ay, it has yae meanin', laddie.
Like me, the puddock needs a rest."
  Hey-hum-ho-haddy.

THE PUDDOCK AND THE JUCK

A puddock o' sport maist by-ordinar fond,
Yince challenged a juck to a race in a pond.
The puddock's wife said—"Ye may ettle to race,
But tak' my advice an' come in second place."
The puddock ne'er heedit her warnin' ava;
The race was begun, an' he sprachled awa'.
The juck, soomin' proodly, her strength didna stint,
While the wee frog cam' pechin' alang in ahint.
But the quacker syne wearied, her swiftness forsook her;
The puddock held on, an' at last overtook her.
The juck couldna thole to see froggy in front;
The hens would a' keckle—her pride gat a dunt.
Oot shot her lang thrapple, her bill got a grup;
Fareweel to the puddock, she gobbled him up.
Sae, freens, tak' advice—for Life's whiles like a race,
An' the wise are content wi' a guid second place.

BIBLICAL

ELISHA

According to Granny.

Noo, haud yer wheesht, an' harken, weans,
  I hae a tale to tell
Aboot the auld camsteerie days
  When gey queer things befel;

A tale to gar yer bluid rin cauld,
  It's awseome but it's true;
It's a' aboot some bad wee bairns,
  A tale to gar ye grue.

Elisha was a prophet guid
  In Israel lang syne;
Elijah's mantle fell on him,
  An' Faith! it fitted fine.

A prophet's an unchancy job
  For yin that's feart or blate;
He maun foretell the doom o' kings,
  An' flyte at sicna rate.

But, still an' on, a prophet's prood,
  For he is fell an' wise;
An' when he doesna meet respec'
  It tak's him by surprise.

Yae day Elisha took the gate
  To Bethel's thrang wee toon;
Some randy weans cam' rinnin' oot,
  An' quickly gethered roon.

"Haw! Look wha's here!" the tinklers cried,
  They jeered at him an' scoffit;
"Auld bald-heid" was the daft-like name
  They ca'd the douce wee prophet.

"Auld bald-heid!" Fegs! some names can sting;
  That stang like ony cleg;
For, truth to tell, the prophet's pow
  Was bald as ony egg.

He whuppit roon wi' bleezin' een—
  "I'll sort ye for yer pains!
May heeven's vengeance on ye fa',
  Ye ill-tongued brats o' weans!"

An' sudden frae the wude cam' forth
  Twa bears, an' wrocht sic skaith,
They rived the hale jing-bang to bits,
  Wee lads an' lassies baith.

Ay, forty-twa o' them lay deid—
  That gars yer bluid rin cauld!
Oh, weans, tak' warnin' an' aye be
  Respec'fu' to the auld!

JOSEPH—AND HIS BRETHREN

When'er they steek their een, it seems,
Some folk maun aye be dreamin' dreams;
And what thae unco dreams foretell,
Ilk ane interprets for himsel.

Young Joseph in his dreams yae nicht
Beheld a maist by-ornar sicht;
He and his brithers, stookin' corn,
Wrocht mang the sheaves yae caller morn.
His sheaf stude up and looked aroon;
His brithers' sheaves a' loutit doon.
The meanin', he jaloused, was plain.
Anither nicht he dreamed again.
Eleven staurs, sae braw and bricht,
The sun and mune, a bonnie sicht
(The family circle gey complete),
Fell doon in worship at his feet.
Gey prood, the gomeral, sad to tell,
Jist couldna keep it to himsel,
But raised the dander o' his brethren,
When o' thae dreams he stertit bletherin'.

Auld Jacob thocht sic dreams excitin';
But gied his son a richt guid flytin'.
"Sic visions, Joe, are far frae canny;
Ye've gane abune yersel, my mannie.
Think ye I'd ever boo the knee
To yin I skelped when he was wee?
Likewise yer mither! Hoots and havers!
Let's hear nae mair o' sic-like clavers."
But Jacob couldna but forgie
Joseph, the apple o' his e'e.
The britbers raged at this like mad:—
"The auld man's doited on the lad!"

Ayont the desert's barren rocks,
To seek fresh pastures for their flocks,
The sons o' Jacob gaed yae day.
It was a lang, dreich, weary way,
And nae word cam' frae them ava.
Thinks Jacob, "They've been lang awa'!"
And sent young Joseph, thereupon,
To speer hoo they were gettin' on.
A langsome gate the laddie gaed,
But trevel'd blithely unafraid,
Until he spied them in the gloamin'.
The brithers said, "The dreamer's comin';
We ken him by his tartan coat;
Oor faither pey'd for't mony a groat,
While we, his elders, gang in tatters;
Joseph's the only yin that matters."

"Let's kill the upstart!" cried yae brither;
But Reuben he was in a swither.
"The auld man would be sair pit oot
Gin we laid hauns on him, nae doot."
They cast Joe in a muckle pit,
And argy-bargied for a bit.
Some Ishmaelites cam' passin' by,
And on their camels sune drew nigh.
Said Judah—"Faith! I'm no' a killer:
Let's sell the lad, and mak some siller."
Sae, to complete their deed o' knavery,
They sell't puir Joseph into slavery.
And syne the brithers killed a goat
And splairged wi' bluid the tartan coat,
To bring it back wi' them to show
Some beast had made a meal o' Joe.

The moral to this tale, it seems,
Is dream nae self-important dreams;
Or, gin ye dae, jist steek yer gab;
Dinna, for ony sake, let dab!

THE FURTHER ADVENTURES OF JOSEPH

There's folk gey gleg to see affronts
  Whaur nane hae been intended.
When Joseph's brithers took the strunts
  Their pride was sair offended;
Aye braggin' aboot daft-like dreams,
  The laddie drave them to extremes.

They up and gat him by the lug,
  In vain the cullen strave,
As though he'd been a messan dug,
  They sell't him for a slave;
And gied some cairds, wi'oot a swither,
  A bargain o' their bletherin' brither.

Puir Joseph threiped—"I'm no' for sale!"—
  Oh, he was thrawn indeed!—
The Ishmaelites had heard that tale
  Afore, and pey'd nae heed;
Syne on a lang stravaig they gaed
  To Egypt wi' their export trade.

Then Joseph grat and dwined awa'.
  The Ishmaelitish clan,
Gey feart that he micht dee and a',
  Bethocht them o' a plan
To sell him to some doited buddie,
  Or swap their captive for a cuddie.

Noo Potiphar, a muckle laird
  O' Egypt's gentle race,
Heid officer o' Pharoah's gaird,
  Cam' to the market-place
And saw young Joseph there yae day,
  Gey peely-wally-like and wae.

Thinks Potiphar—"He looks dooms sad,
And no' in best o' fettle;
But I jalouse I'll buy the lad
And see what he can ettle;
I'm thinkin' kindness and guid-feedin'
Is a' this bonnie boy is needin'."

Sae Potiphar a bargain struck,
And Joseph was his man;
And Fegs! the laddie was in luck!
His errands a' he ran.
He thrave; and was sae gleg and douce
They made him grieve o' a' the hoose.

And Potiphar, a master guid,
Syne lippened a' to Joe;
He speered nae word o' what he did
As he gaed to and fro.
In byre and stable, field and ha',
The servant ruled the roost ower a'.

There's aye a something! Sad to tell,
Fate whiles plays pliskies rotten!
And Potiphar, it sae befel,
A randy wife had gotten.
She cast her witchin' e'e on Joe:
But would he look her gate? Oh, no!

And what to bonnie womankind
'S mair angersome than that
Her spells and glam'rie winna bind?
She girned at him and grat;
And tell't a tale, wi' muckle wile,
That landed Joseph in the jile.

Beware o' jauds wi' witchin' e'en;
  They're dochters o' the deevil;
Yer guid repute's no' worth a preen
  Gin yince they wish ye evil.
Eve tempts ye wi' the apple ripe—
  But Oh!—the besom's shair to clype!

PHARAOH'S DREAM

When Joseph, by the banks o' Nile,
Had languished lang years in the jile
(Thanks to a randy hizzy's malice),
He gat a summons to the palace.
Prood Pharaoh, frae a dream yae nicht,
Had waukened in a fearsome fricht.
It was the sort o' dream he kent
Foretold some dreid and dire event.
He dreamt he saw seven sonsy kye
Graze on the river haugh doon-by—
Guid, gawsy beasts, nane could be fatter.
Then sudden, frae the drumly watter,
Cam' forth seven kine, a' skin and bane;
Beasts ye'd think shame to ca' yer ain;
And thae lean kye, by hunger driven,
Ett up the sonsy kye, a' seven;
And looked—'twas this garred Pharaoh shiver—
As skinnymalink-like brutes as ever.

Sae Pharaoh loupit frae his bed
And to his servin'-man he said:—
"That was an awesome dream, by jing!
And it forebodes some unco thing.
Summon my men o' magic hither!"
The auld magicians in a swither
Syne gethered roon, and ilka wizard
Felt his he'rt sinkin' in his gizzard—
"Alas! we canna tell, O Pharaoh,
What thing it is ye've to beware o'."
Then Pharaoh swore baith lood and deep—
"Awa'! Ye are na worth yer keep:
A pack o' rogues that canna tell
A simple thing. I'll guess masel."

Wi' that, his butler wi' a smile,
Said—"Yince ye ludged me in the jile,
And there I met a chap ca'd Joe,
A' dreams he kent the meanin' o';
I mind yae time me and the baker—
Ye hanged yon ill-daein' hallanshaker—
We baith dreamed dreams the self-same nicht;
Joe could interpret them a' richt."
"Eneuch!" said Pharaoh, "dinna blether,
But bring this man o' wisdom hither."
Sae to the prison word was sent—
This was his chance noo, Joseph kent;
And sae he gied his face a dicht,
Pit on clean claes, did a' things richt;
Then to the palace took the road
Whaur Pharaoh back and forrit strode,
Fidgin' to ease his sair-fashed heid
O' a' the freits that he did dreid.

The tale did no' tak' lang to tell,
And Joseph's he'rt wi' pride did swell
To think he could explain it a'—
"Noo dinna fash yersel ava,
O Pharaoh, for I'll mak' it clear.
The seven fat kye mean seven year
O' plenteous corn in which to wallow,
Then seven lean years o' famine follow.
In thae guid years, ye'll hain yer corn,
Ye'll hae sair need o' it some morn.
The hale solution o' yer dream
Is jist a muckle Saving Scheme.
Sae fill yer pyramids bung fu'
O' a' that ye can spare the noo.

And lippen to some worthy man
To cairry oot this master plan."

Said Pharaoh:—"Ye're the man for me!"
And Joseph noddit:—"I agree."

THE FINDING OF MOSES

Wha would be aspirant
To the throne o' kings?
Pharaoh was a tyrant,
Fashed wi' mony things.
Hebrew slaves were rife;
Aye their numbers swellin',
Garred him dreid some strife
Should they start rebellin'.
"I'll stop that, by jings!"

"Jewish howdies warn
A' throughoot my borders,
When a babe is born,
Droon it—that's my orders.
Lassies ye may spare
Only droon the laddies;
Nae mair boys, I swear,
Shall grow up to daddies.
See to it, my warders."

Whatna wail o' wae
Raise frae Jewish mithers!
Sisters couldna hae
Ony mair wee brithers!
"What'll we dae noo?"
Cried Miriam to her mither.
"Why, though he's a Jew,
Should we droon my brither?
Hide him oot o' view."

Pharaoh's bonnie dochter
  Gaed to hae a dook;
Ilka day she socht her
  Ain weel-hidden neuk
By the caller river.
  In the mornin' early,
Whaur the rashes quiver,
  There she saw a ferlie:—
"Look!" she cried, "Oh, look!"

Royal handmaids braw
  Gethered roon their leddy:
What was this they saw
  Whaur the watters eddy?
Lyin' a' his lane
  In a wee bit cradle,
Was juist the kind o' wean
  Weemen like to daidle,
A' for dawtin' ready.

"See his bonnie broo,
  Cheeks like dusky roses:
This wee bairn's a Jew—
  Ye ken them by their noses.
By my royal name—
  And Pharaoh scrimps me naething—
I'll tak' this bairnie hame
  And keep him for a plaything.
I think we'll ca' him Moses.

THE EXODUS

Lang, lang the feckless Israelites
  Had tholed the Egyptian yoke,
Until the Lord wi' plagues and skaith
  Prood Pharaoh's thrawn he'rt broke.

"Awa', dour Moses, frae my sicht;
  I'll set your people free;
You, and your muckle-nebbit folk,
  Hae fairly scunnered me."

Sae Moses gethered ilka tribe
  And tell't them o' his plan:
"Ye'll no be sweir to trevel noo
  To seek the promised lan'."

Sae syne they girded up their loins
  And took the gate wi' speed;
For brawly Moses had jaloused
  That haste was noo their need.

For Pharaoh whiles could change his mind,
  As pipers change their tune;
And wha could lippen to the word
  O' sic a switherin' loon?

They hadna gaen a league, nae mair,
  Oot ower the stoury road,
Till up and doon his palace ha'
  Pharaoh in anger strode.

"Bring oot my chariots and men,
  And saddle me my steed!
Gin I should let thae slaves gang free
  I'd be a fule indeed!"

The Israelites forfochen band
  Pressed on, and didna stint,
Until they reached the braid Red Sea:
  "Guidsakes! Wha comes ahint?"

"We're dune for noo," the faithless grat,
  Said Moses, "Fear nae skaith,
The Lord'll work a miracle,
  I'll tak' my solemn aith."

"Rax me my rod! He stretched it forth,
  The watters opened wide;
As through a glen dryshod they traiked
  To win the ither side.

And Egypt's host that followed fast
  Glowered at them in dismay;
But "Follow me!" fey Pharaoh cried,
  "I'll dree my weird this day."

Ance mair was Moses' staff upraised,
  The watters closed again,
And droont prood Pharaoh in their waves,
  Wi' a' his michty men.

That rod was like a magic wand;
  Nae history book discloses
A hint o' hoo the trick was dune;
  The secret dee'd wi' Moses.

NAAMAN AND THE PROPHET

Naaman was a michty man;
  Harken to his story;
Though he'd fame and riches baith,
  What's the guid o' glory?

Syria's king had gane to war;
  Captain o' the battle,
Naaman won great victories,
  Captured gear and cattle

Noo the fechtin' a' was by
  He was feelin' badly;
Leprosy, that fell disease,
  Smit him sair and sadly.

Leprosy's maist scunnersome,
  And, forby it's smittle;
Frichtit freens kept clear o' him,
  Curin' it's gey kittle.

But his wife's wee servin'-lass,
  That did whiles attend him,
Whispered in her lady's lug:—
  "I ken wha could mend him.

"In my land o' Israel
  There's a prophet dwellin',
Yin that's wrocht great miracles,
  Sae the folk are tellin'.

"Auld Elisha, that's his name,
  He can cure diseases,
Like his freen Elijah that
  Speel'd the lift like bleezes."

Sae his wife fleeched Naaman sair,
  She'd tak' nae denial:—
"Gang and see this prophet chiel,
  Gie the thing a trial."

Naaman's king then egged him on:—
  "I will write a letter,
And I'll threip to Israel's king
  He maun mak' ye better."

Sae, wi' siller and wi' gowd,
  In his chariot ridin',
Naaman cam' to Israel's court,
  Whaur the king was bidin'.

Israel's king the letter read,
  Bleared his een wi' greetin':—
"Nae quack-doctor's skill hae I,
  This is whaur I'm beaten."

Then he rived his royal robes—
  Syria's wrath he dreided.
When Elisha heard o' this
  Nae mair hint he needed.

"Dinna fash yersel, O king!"
  (Some folk micht hae scoffit).
"Send this Syrian roon to me;
  Israel's gat yae prophet."

Sae, to cut the story short,
  Trystin' him accordin',
He has sent prood Naaman word:—
  "Dook seven times in Jordan."

Faith! but Naaman's face gat red!
"Whatna thing to ask us!
Abana and Pharpar baith,
Rivers o' Damascus,

"Are they better no' by far
Than Israel's drumly watter?
I'll gae hame and tell the king;
This is nae sma' matter."

But his servant begged him bide:—
"Think again, O master.
Had he gien ye doctor's cures,
Intment, pills and plaster.

"Ye had tried them yin and a'.
Embrocation's greasy,
Dookin' canna mak' ye waur.
Tak' a bathe; it's easy.

Naaman's pride gaed in his pooch;
Doon he gaed to Jordan.
"Seven times, the prophet said."
Sae he dooked accordin'.

In he went, a plague-struck man;
He begued to splatter:
Clean as ony new-born wean
He cam' oot the watter.

Oh, but Naaman's he'rt was glad!
"What seek ye for payment?
I've gat siller, I've gat gowd,
I've gat braw new raiment."

Dour Elisha turned awa',
  Shook his auld grey noddle:
"Dinna thank me, thank the Lord;
  I'll tak' deil a boddle."

But Elisha's servin'-man
  At his master scoffit:
"Losh! the prophet's gane clean gyte!
  I maun mak' some profit."

Efter Naaman's chariot train
  Ran this caird sae shifty,
Said—"My master's changed his mind;
  Gie us some bit giftie."

Naaman, wha'd nae guile ava,
  Didna tak' his measure;
Blithely then he heaped on him
  Braw new claes and treasure.

When the servin'-man cam' hame
  Frae his ploy sae risky,
Auld Elisha glowered on him:—
  "Weel I ken your plisky.

"May the Syrian's leprosy
  Turn your vile banes rotten!"
White as snaw the servin'-man
  A' at yince has gotten.

Greed's a vice that drags ye doon
  To the pit o' Tophet.
Evil's smittle like the plague:
  Seek nae ill-gat profit.

RUTH

There ance was a widow, Naomi by name,
She bided abroad, but she wearied for hame.
An incomer aye feels sae strange in a place
Whaur folk pass ye by wi' a glower in the face.

Forby her douce husband, her twa sons had gane;
They dee'd, and they left her to warstle alane.
She grat aboot this to her dochters-in-law,
Sayin'—"Fare-ye-weel, lasses, for I'm gaun awa'."

But yin o' them, Ruth, said—"That canna weel be;
Ye'll no' gang a step o' the road wi'oot me.
I'll jine in yer trevels whene'er they begin;
I'll stick to ye, Mither, through thick and through thin."

"But, Ruth," said Naomi, "what life dae ye plan?
Nae mair sons hae I to provide ye a man.
Though young, it's a widow ye are, like masel,
And yer chance o' anither man wha can foretell?

"In yer ain land o' Moab there's rowth o' braw men;
Bide here, and ye'll maybe get nabbit again.
But gin ye stravaig to a far land wi' me,
Ye'll stick on the shelf till the day that ye dee."

But, "Hoot! awa', Mither, I ken a' yer chaff;
I'm comin' " said Ruth, "And ye'll no' pit me aff."
Awa' gaed the twasome, as cheery's ye like,
On the lang desert road that had nae hedge or dyke.

And sae, when the fash o' the flittin' was past,
In Bethlehem's toon see them settled at last;
Whaur puir auld Naomi had freens by the dizzen,
Amang them, bien Boaz, a gey far-oot kizzen.

Prood Boaz, a fermer, weel-daein' forby,
Was sib to the gentry, had gear and had kye;
But bashfu' Naomi this laird held in awe;
She was blate, the puir body, to gie him a ca'.

They were thrang at the hairst on a braw autumn morn;
The reapers were there, they were stookin' the corn;
Naomi sent Ruth to the barley-rigg near:—
"Gae glean in the fields o' great Boaz, my dear."

Sae, a' the lang day in the fields Ruth did pass,
Till Boaz took tent o' the bonnie bit lass.
"Wha's yon?" he did speer, and they tell't him the truth—
"Naomi's guid-dochter, a lassie ca'd Ruth."

O, lang Boaz glowered as she wrocht awa' there:—
"We dinna see mony sae trig and sae fair.
My lassie, I hope ye'll come back here the morn;
An' glean ye as muckle's ye please o' my corn."

At gloamin' when hameward Ruth wended her way,
Naomi speered—"How gaed the gleanin' the day?"
Said Ruth, the sly hizzy, her bonnie een winkin'—
"I've gleaned a new husband, that's Boaz, I'm thinkin'."

And sae it befel, sic a glamour she cast
Ower Boaz, the laird, that he wed her at last.
And wha could deny that they made a braw pair?
They syne begat Obed—and aiblins some mair.

VOYAGE IN THE ARK

"There's sic a clamjamfry o' beasts in the ark,"
Said Noah yae day, "It's gey mochy an' dark,
The rain has devall'd for a guid whilie noo,
I'll open the winda an' see what's ado."
He drew back the snib an' he open't wi' care,
An' breathed a deep waught o' the fine caller air.
The beasts a' took he'rt when they sniffit the breeze;
The muckle rhinoceros gied a lood sneeze,
The cock on the rafters syne stertit to craw,
The cuddie lat oot sic a rauchle hee-haw!
The horse gied a nicher, an' Crummie, the coo,
Syne jined in the chorus wi' moo! efter moo!

Then Noah's auld heid frae the winnock looked oot,
But naething but watter was seen roon aboot.
Syne Ham, Shem and Japheth rase up geyan blear'd,
An'—"Whaur are we noo?" at their faither they speired.
"Faith! sons," replied Noah, "it micht hae been waur,
We're stuck on the tap o' a humplock o' glaur
That micht be a mountain, for a' that I ken,
But the deep sea has hidden ilk valley an' glen.
There's naething but watter as far's ye can see:
We winna get drouthy, no' yet, for a wee."
But, glunchin', the sons at their auld faither lookit—
He'd joke when the warld was sae draigled an' drookit!

Syne Noah's guidwife to her spouse did remark:
"I'm wearit to daith o' this trip in the ark;
There's nae room to turn, an' there's sic a queer smell,
An' there's no' a quate corner I get to masel'.
Ye'll hae to dae something." Said Noah, "That's richt,
I'll send oot a raven to see what's in sicht."

The muckle black bird frae the ark he set free,
It sat on the roof, then awa' it did flee;
An' as for its master it cared no' a preen,
It didna come back, an' was never mair seen.
Ochone! it was wearisome then in the ark!
Sic dreich days an' dowf would gar ony dug bark.
The mice an' wee beasties a' stertit to greet,
Tired o' jinkin' the elephant's big muckle feet;
An' Noah's relations gaed girnin' aboot,
Aye speirin' at him when the tide would gae oot.

Then Noah took thocht an'—"I'll send oot a doo;
Yon scunnersome raven's desertion I rue;
But wyse-like an' douce an' sae kind are the doos
That this yin'll shairly come back wi' some news."
Awa' flew the cushat, its absence was brief,
An' syne it cam' back wi' a wee olive leaf.
"My certie!" cried Noah, "this leaves me nae doot,
Things are growin' again, I can sune lat ye oot."
An' sae it befel; things begued to look bricht,
The watters row'd backwards for miles ilka nicht;
Instead o' saft glabber, cam' dry land again,
An' the green grass was growin' in valley an' glen,
An' yae happy day, Noah opened the door
An' the folks an' the beasts walked on earth as afore.

Syne up in the lift shone a rainbow sae bricht,
Said Noah—"Tak' tent o' that wunnerfu' sicht;
The Lord, I jalouse, pit that bonnie thing there
As a sign that the warld'll be floodit nae mair.
An' noo that the earth o' a' rascals is rid,
Let's lippen to Providence aye, an' be guid;
An' walk, oh my sons! in the fear o' the Lord,
Or waur things than droonin' may be your reward."

BALAAM AND HIS ASS

Stravaigin' through the wilderness 'mang heichs an' howes o' sand,
Moses led the Israelites to seek the promised land.
Whaur aboots that land lay naebody could tell;
Moses said the Lord would ken, he wasna shair himsel'.
Whiles they focht the Philistines, to keep theirsel's in trim,
An' aye they held the highway through a' the desert grim.

Balak, King o' Moab, was a frichtit sort o' chiel;
The Israelites were fechtin' an' were daein' unco weel;
The Canaanites an' Amorites they'd dichtit frae the map;
An' Og, the king o' Bashan, they had yokit on, puir chap;
They'd met his folk in battle an' they'd smote them hip an' thigh,
They'd herried a' his cities, an' they'd lifted a' his kye.
Balak, king o' Moab, thocht—"My turn'll shairly come;
The Jews are on my borders, an' I'm feelin' geyan glum;
I'll send for prophet Balaam, he's a pawky sort o' loon,
An' he's gat the gift o' cursin', he will curse them upside doon."

Sae a message cam' to Balaam—"There's a gangrel sort o' folk
That are marchin' fast on Moab; but wi' them we'll hae nae troke.
But we're feart they'll want to fecht us, for they're breengin' on ram-stam,
Sae come awa' an' curse them, for we ken that ye can damn."

But Balaam wouldna steer a fit, he said—"At hame I'll bide;
I like to back a winner, an' the Lord is on their side."
Syne Balak sent mair messengers, an' fleeched an' was sae feart,

That Balaam thocht—"I'd better gang, although I'm geyan sweert."
He saddled then his cuddie an' he took the Moab road;
But faith! the cuddie took the strunts in spite o' whip or goad.
It reestit, an' it turned aboot, it wouldna gang that gate;
Auld Balaam skelpit it in vain, it fairly had him bate.
He cursed it wi' sic curses that it nearly garred him choke;
An' then, to his dumfoonerment, the thrawn beast up an' spoke.

"What ails ye at my hurdies that ye skelp me thus sae sair?
I've been yer faithful servant aye, but noo I'll thole nae mair.
Hae I sic pliskies played afore?" Then Balaam answered—"Na."
The ass spak' nae mair word to him, but gied a lood "Hee-haw!"
Then Balaam's een were opened. Lo! an angel o' the Lord
Stude there fornenst him in the path wi' bricht an' flamin' sword.
The prophet fell upon his face—the least that he could dae—
He begged the angel's pardon, an' the cuddie's pardon tae;
An' he drapt this hint to Balak, gey politely, we jalouse,—
"Ye may rax yer thrapple threepin', but I canna curse the Jews."

THE ETERNAL TRIANGLE

King David focht the Philistines;
  He slew them wi' nae qualms.
"An' noo," said he, "I'll bide at hame,
  An' write a wheen o' Psalms.
The nichts are cauld, I'm gettin' auld
  For hunkerin' in the glaur:
I'll send ma captain Joab forth
  To cairry on the war."

Sae Joab an' his michty men
  Laid seige to Rabbah toun;
While David, ettlin' psalmody,
  Gey easy settled doun;
But psalms are kittle things to write
  An' whiles he climbed the stair;
Gey fashed at times to think on rhymes
  He socht the upper air.

As on the palace roof the king
  Was inspiration seekin',
It chanced yae day he saw a sicht
  That set him slyly keekin';
Ablow him, in a neebour's hoose,
  By shutters unconcealit,
A bonnie lassie bathed hersel'
  Wi' a' her charms revealit.

As fair as Eve, her limbs shone bricht
  By caller watter drookit;
King David thocht—"I maunna look!"
  An' aye the mair he lookit.

Her beauty garred the king gae gyte,
  As though he had been drinkin';
He speired her name—"Bath-sheba!—
  Gey appropriate, I'm thinkin'."

But she was married. Och, hey-hum!
  Ay, wedded to a sodger;
Uriah was her husband's name,
  In Joab's camp a lodger;
A michty man o' valour tae,
  That aye was glory gainin'.
King David thocht—"He's far awa',
  His wife needs entertainin'."

A wilfu' king maun hae his way;
  But conscience garred him swither—
"Ye've rowth o' wives, an' joes forby,
  Ye dinna need anither."
But he was thrawn; an' like a wean
  That seeks some bonnie plaything,
He said—"I'll mak' that lassie mine:
  I'm no' the king for naething.

When dour auld kings a-wooin' gang
  They winna thole refusal;
Uriah absent at the wars,
  The twasome held carousel.
Bath-sheba wasna laith, an' prooved
  A hellicate wee hizzy.
"She's mine for keeps," said doitit Dave,
  "Her beauty dings me dizzy."

A plot was laid. To Joab cam'
  A message o' the meanest—
"Let bauld Uriah haud some post
  Whaure'er the fechtin's keenest.

An' see that he comes hame nae mair;
  I want nae tittle-tattle."
Joab speired naething; he obeyed:
  Uriah fell in battle.

Bath-sheba for her husband grat,
  But fause tears dinna sadden;
She wore her blacks for but a day,
  Then buskit for a waddin'.
An' David married her in haste,
  As proof o' his affection:
She was anither specimen
  To add to his collection.

But prophet Nathan cam' to flyte—
  Sic folk ye'll no' get jinkin'—
"The Lord tak's tent o' what ye've dune;
  Ye'll get yer paiks, I'm thinkin'
Ye're like the prood man, rich in flocks,
  That steals the puir man's lamb;
Ye'll no' get aff wi' this misdeed
  By singin' o' a psalm.

"Sae bluidy wars an' family strife
  Shall fash ye aye an' grieve ye;
An' wives an' sons, yer flesh an' bluid,
  Shall mock ye an' deceive ye."
That prophecy cam' true; for baith
  Life proved a perfect scunner;
But Solomon, that they begat,
  Wrote proverbs by the hunner.

He was the wycest o' his line,
  But geyan like his daddy,
For a' the faither's failin's were
  Kenspeckle in the laddie.
An' Solomon wi' love gaed gyte;
  Fate glowered on him in malice,
For wives in muckle droves like kye
  Were herded in his palace.

ADAM AND EVE

When Adam a' lee-laney stood,
  The first o' a' the human race,
In Eden's garden solitude,
  He was the laird o' a' the place;
Ilk beast an' bird an' creepin' thing
  Acknowledged him to be their king.

He daunered roun to pree the fruits;
  He had nae need or wish to wark.
He fand his cronies 'mang the brutes,
  An' never fashed wi' breeks or sark.
He woke yae day to fuller life,
  Minus a rib, an' plus a wife.

She was the fairest o' the fair;
  She had a tongue that could beguile,
Sae winsome, yet sae deil-may-care.
  Adam was happy for a while;
Yet aftenest—to tell nae fib—
  He wished he could get back his rib.

ABRAHAM'S SACRIFICE

Abraham, the patriarch, was gettin' geyan auld;
He had reached a hunner, an' his bluid was rinnin' cauld.
As for guidwife Sarah, she was gettin' by her best:
Ach! the puir auld buddies baith were sair in need o' rest.
But faith, they say, moves mountains; an', afore their sands
were run,
To the Lord they lippened that he'd gie to them a son.
Ca' the thing a miracle, or ca' it what ye like,
Unto them a wean was born—Isaac, kent as Ike.
Abraham was prood o' him—the marrow o' his Dad!
Guid be thankit, he'd an heir! Sic a bonnie lad.

Isaac grew sae quickly, like a hardy stalk o' rye,
Abraham delichtit in him mair than sheep or kye.
Fervently he thanked the Lord nichtly ere he slept;
Sarah, tae, was thankfu', but a calmer souch she kept.

Folk that's gey religious dream the maist peculiar dreams,
Angels bring them messages frae heaven, sae it seems.
Abraham had visions, an' he thocht that he gat word
Tellin' him to sacrifice his son to please the Lord:—
"Bigg a muckle altar in the hills ayont the plains,
Mak' a burnt offerin' o' Isaac on the stanes."
Hech! but he was waefu', at the thocht o' it he grat;
But what's the guid o' greetin' when ye get commands like
that?

Abraham said naething, but o' faggots made a load,
Sherpened up his gully, an' gat ready for the road.
Aff he gaed wi' Isaac, an' the wee yin never kent
What the langsome journey or thae preparations meant.

"Faither," said wee Ikey, "we hae kin'lin's for the fire,
Knife an' torch, an' a' the rick-ma-tick that we require,
But whaur's the lamb for sacrifice?" The auld yin answered
pat,
Gey queerly glunchin', "Never heed, the Lord's providin'
that."

Sclimmin' up the mountain, they gaed pechin' on their road,
Isaac, young an' soople, wi' the faggots for his load;
Heich upon the hill-tap there, they raised the altar stanes
(Trust nae pious faithers, it's a lesson to a' weans).
Abraham grupped Isaac, an' he gied a ruefu' smile:—
"You're the lamb, my laddie!" an' he tied him to the pile.

"Haud yer haun, my faither!" cried the gey unwillin' son,
"Shairly ye're mistaken, for my life has jist begun.
You, that's ower a hunner, could sae easy part wi' life:
I'm no' ripe for deein' yet! Canny wi' that knife!
Dinna be impulsive, but jist meditate a while;
Gin ye cut my thrapple it'll land ye in the jile."
"Haud yer wheesht, rebellious brat!" The auld yin didna
swither.
"Why should ye be thrawn an' dour? Pu' yersel thegither!
It's the Lord's will that ye dee: dee ye shall, my laddie.
Gin it grieves ye, think ye no' it grieves far mair yer Daddy?"

Up he raised the knife yince mair, then his anguished brain
Seemed to hear an angel's voice speakin' to him plain:—
"Lowse yer dear son Isaac frae yer homicidal grup;
Look ahint ye in the hedge, an' there ye'll find a tup."

Abraham free'd Isaac, an' they sacrificed the ram;
Never speired whase beast it was, but killed it for a lamb.

Hame they gaed rejoicin', like the best o' freens ance mair,
Abraham quite canty noo aboot the hale affair.

Isaac grew in wisdom, an' kent a' his faither's tricks—
Ye wouldna see his heels for stour, if telt to gether sticks!

CAIN AND ABEL

I ken nae Bible story, be it parable or fable,
Wi' a tapselteerie moral like the tale o' Cain an' Abel;
For Cain he was a gairdner, an' a vegetarian guid,
An' Abel was a butcher that ne'er grued at sheddin' bluid.
Cain wrocht in his kail-yairdie, for his leevin' he maun win,
He little kent that growin' grapes an' grozets was a sin.
His neeps he was gey prood o', an' the best he could afford,
He wasna blate to gether as an offerin' to the Lord.

But Abel herdit yowes, an' brocht the firstlin' o' his flock,
An' slew it as a sacrifice upon an altar rock;
An' to mak' the thing kenspeckle, when he'd slain the blameless yowe,
He lit a fire o' flinders, an' he set the corp alowe.
Syne Heeven took tent o' Abel, an' the smeek o' roastit mutton,
But Cain's puir neeps an' sic like, Dod! they werna worth a button.

Then Abel gat sae vaunty, that Cain cried, to vent his spleen—
"Your sacrifice is scunnersome an' cruel in my een.
To sneck yon pair beast's thrapple, at the very sicht I grat!
My nature is ower gentle an' ower kindly to dae that."
Then Abel said—"Ye're awfu' chawed," an' Cain gaed wude wi' anger,
His birse was up, he struck—an' Abel bothered him nae langer.

In Scripture or in history, you'll find the meekest martyr,
When you get him in the fettle, whiles can turn an unco Tartar.
I ken nae Bible story, be it parable or fable,
Wi' a tapselteerie moral like the tale o' Cain an' Abel.

THE GARDEN O' EDEN

When Adam was warden
O' Eden's braw garden,
To pree ony fruit he had leave;
But—"Dinna touch apples,
They'll stick in yer thrapples,"
The Lord said to Adam and Eve.

The serpent, black deil,
Was an unco slee chiel,
And oh! whatna whids he could tell!
He sprachled aroon,
An' he bided, the loon,
To catch Eve alane by hersel.

"Guid day to ye Madam!
I see ye've lost Adam."
Said Eve—"He's stravaigin' aboot."
"Noo's yer chance," said the deevil,
"To ken *guid* an' *evil*;
Jist taste this remarkable fruit."

"I daurna," said Eve,
"Tak' a bite wi'oot leave;
An' yet, I jalouse, I micht try.
I mauna be hasty.
Oh, fegs! but it's tasty!
Jist wait until Adam comes by."

Alang daunered Adam;
He pree'd as she bade him;
The twasome were noo baith to blame.
The serpent fair wriggled,
He lauched an' he giggled;
While Eve's he'rt sank doon in her wame.

And Adam, puir buddie,
Noo kent he was skuddy,
And made a wee kiltie o' leaves;
Syne he begged the Lord's pardon
For spilin' the garden:—
"The wyte o' my dooncome is Eve's."

"Ye hae eaten the fruit;
I will cast ye baith oot."
Said the Lord, "An' it's weel ye think shame;
By the sweat o' yer broo
Ye maun ca awa' noo;
An' the serpent shall crawl on his wame."

There's a moral gey clear
In this auld story queer,
An' it's—Keep to the word o' the law;
Let yer conscience be guide
An', whatever betide,
Ne'er lippen to serpents ava.

TIMES AND SEASONS

WINTER'S AWA'

Though taits o' snaw to bens still cling,
  They're dwinin' ilka day;
The first wee shilpit lambs o' spring
  Are chitterin' on the brae.
Thrang in the tapmaist forks o' trees
  Biggs noo the eident craw.
Oh, fine we ken by signs like these
  That winter is awa'.
The auld earth gies hersel a heeze,
  Winter's awa', awa'!

MARCH WIND

The March win's snell an' nirlin',
  Doon frae the hills it comes,
An' sets the "grannies' birlin'
  On a' the tounship's lums.

It whistles geyan eerie
  Aroon the gable wa';
It turns things tapselteerie,
  Sae wildly it can blaw.

March whiles gies things a shoogle;
  But let her hae her fling,
She's soondin' Nature's bugle
  To herald in the Spring.

DAFFODILS

Spring comes dancing o'er the hills
Bringing in the daffodils,
Shining yellow in the wood,
Fresh and fragrant multitude.

Underneath the spreading oak,
Spangles on earth's verdant cloak;
Clustering upon the lawn,
Opening out to greet the dawn.

Fairest flower to deck the green,
Spring's authentic floral queen;
Gleaming by the brooks and rills,
Daffodils, O daffodils!

IN WINDY MARCH

I walked the woods in windy March
  To see if Spring had come;
The leaves were budding on the larch,
  But still the birds were dumb.

The day seemed desolate and chill.
  I tried to put in words
A song of spring, but lacked the skill;
  I missed the song of birds.

But fickle March now changed its mood,
  The sun shone clear and strong;
And all the birds within the wood
  Awoke to sudden song!

THE COMING OF SPRING

Smiling Spring comes through the woods
In most prodigal of moods;
Carelessly her apron spills
All the golden daffodils.

She has waved her magic wand
Over all the pleasant land;
At her touch the orchard bough
Burgeons into blossom now.

Surely elfin horns are blowing:
Everything is growing, growing.
In the meadows grass is greener;
Streams are sparkling, brighter, cleaner.

Willows by the placid river
Seem to come to life, and quiver.
All the birds begin to sing.
What a merry time is Spring!

MERRY MAY

How merry is the month of May!
  The lilac blossoms in the glade,
The broom is golden on the brae,
  And bluebells make a bright brocade
In woodlands where the throstles sing.
  The trees are decked in verdure gay.
All Nature feels the urge of Spring;
  How merry is the month of May!

THE RAINY DAY

The rain comes in blashes,
  It couldna be waur,
An' drookit folk plowter
  Through dubs an' through glaur.

But canny auld Tam
  Says, "It looks like a shoo'er,"
An' he snichers an' adds,
  "It'll keep doon the stour."

An' ye seem to jalouse,
  Though ye'd wager nae money,
That the auld body's doitit,
  Or means to be funny.

A DAY IN THE COUNTRY

Noo early summer decks the braes
  Wi' gowden brume anew,
While a' the bonnie woodland ways
  Are carpeted wi' blue.

Far frae the dirdum o' the toun,
  An' thrangity o' men,
Wi' lichtsome he'rt I dauner doun
  The cuckoo-haunted glen.

Here for the lee-lang day I dream,
  Regain the zest o' youth
Drink deep frae Nature's caller stream
  An' slocken a' my drouth.

MISTY MORNING

A veil of mist hangs over field and wood,
  No breezes stir the tree-tops, all is still.
The sun has risen, but in surly mood,
  Peers, like a red-faced rustic, o'er the hill.

The ground is sodden with the recent rain,
  The dew-drops hang like pendants on the trees.
The farmer looks around him on the plain,
  And whistles, like the sailors, for a breeze.

NOCTURNE

The yellow moon hung o'er the scented glen,
  The woods were dim and dark;
And from the shepherd's cot beneath the ben
  I heard a sheep-dog bark.

It ceased. No other sound disturbed the night,
  Scents came from hay-fields lush;
A wind crept through the tree-tops, soft and light,
  And seemed to whisper—Hush!

A silence fell upon the ferny den,
  Fragrant, and cool and damp;
The yellow moon hung o'er the scented glen,
  And lit it like a lamp.

A MEMORY

Memory brings back to me
Starlit night and starlit sea,
While a boat at anchor lay
In a little land-locked bay.

And the scent of hawthorn trees
Reached us on the gentle breeze,
And the murmer of the rills
From the dark, encircling hills.

And, upon that night in June,
O, how brightly shone the moon;
With another moon, her daughter,
Duplicated in the water.

Never shall the night again
Hold the magic it did then;
Never shall so bright a moon
Shine upon a night in June.

Youth sees things with happy eyes;
We were young, and not too wise;
June is something to remember
In the darkness of December.

HARVEST WEATHER

They're thrang at the hairst doon at Girvan,
  An' folk for fine weather are fain;
But the neeps an' the tatties at Irvine
  Are sairly in need o' some rain.

The fermer o' worries may blether—
  Guid kens hoo the puir body fends—
But ye canna dae ocht wi' the weather
  But tak' what kind Providence sends.

But whether it snawed or it thunnered,
  Let weather be guid or be bad,
There's somebody shair to be scunnered,
  An' somebody aye maun be glad.

A COUNTRY LIFE

Thinks I, a country life's sae croose,
  I canna thole the toon,
I'll find a quate wee theekit hoose,
  An' there I'll settle doon.

The caller air'll mak' me hale,
  I'll keep a skep o' bees,
I'll hae a gairden fu' o' kail
  An' bonnie apple-trees.

Wi' twa-three hens, some jucks an' geese,
  A grumphie in a sty,
I'll end my days in perfect peace,
  An' hae some ploys forby.

But little did I ken, alack!
  Hoo cauld was caller air,
An' little did I ken my back
  Wi' delvin' would be sair;

That hens took strunts an' wouldna lay,
  That bees could swarm an' sting!
I'm back again in toon the day
  A wyser man—by jing!

SUMMER'S AWA'.

The bracken is broon, an' the swallows hae flitted,
  The nicht's hae a nip noo, an' caùlder win's blaw;
When tatties are lifted, an' neeps are weel pitted,
  We'll ken wi'oot doot that the summer's awa'.

Hoo brief an' hoo sweet are the lown days o' summer!
  Hoo green is the leaf that maun wither an' fa'!
But winter we'll greet like a welcome new-comer,
  An' canty we'll be though the summer's awa'.

THE PUIR FERMER

When spates in the back-end mak' havoc wi' corn,
An' stooks are weel draigled an' tashed,
The chiel may weel wish he had never been born
That's doomed wi' a ferm to be fashed.
The fermer tholes mony a slap,
Puir chap,
The fermer tholes mony a slap.

When Winter comes on ere the tatties are lifted,
An' craps are sair nippit wi' frost;
When snaw, comin' early, on hillside has drifted,
An' sheep, aye stravaigin', get lost,
The fermer tholes mony a slap,
Puir chap,
The fermer tholes mony a slap.

WINTER'S COMIN'

Noo gowden Autumn tak's the gate,
  An' Winter hirples ben;
An' folk that can are risin' late,
  An' aff to bed by ten.

When cranreuch on the cauld field lies,
  An' days are short an' chill,
The very sun, sae sweir to rise,
  Gangs early ower the hill.

THE DREICH DAYS

When days draw in, an' nichts grow lang,
An' birds gie ower their lichtsome sang,
An' mournfu' mists are on the braes,
The mind gaes back to summer days.

Lown summer days, sae brief, sae dear,
It seems na lang sin' ye were here.
Noo Autumn leaves the sheuchs maun fill,
Syne Winter hirples ower the hill.

When we grow auld, we ken, in truth,
How grand an' guid a thing was youth;
May summer in oor he'rts still bide
To keep us croose in wintertide.

FIRESIDE JOYS

When nichts are cauld an' folk are auld,
  At hame they're fain to bide:
The winter's here an' we are sweir
  To lea' oor ain fireside.
Pile on the peat, an' tak' your seat
  Aside the ingle warm;
Though win' may roar, we'll steek the door
  An' never heed the storm.

The young, nae doot, maun traik aboot;
  Let them stravaigin' gang;
But here we'll wait in peace an' quate
  An' think na nichts are lang.
We'll ca the crack till they come back—
  Nae need to sit an' gant—
The ingle-neuk, a pipe, a book,
  What mair can body want?

THE PEDESTRIAN

Gin yae thing is waur
  Than the snaw, it's the thowe:
The roads are a' glaur,
  There's a dub in ilk howe.
The jaups frae some caur
  Hae ye splairged to the pow.
Gin yae thing is waur
  Than the snaw, it's the thowe.

Gin yae thing is waur
  Than the thowe, it's the frost:
Ye canna gang faur
  But ye'll ken to your cost,
Step oot, gin ye daur,
  An' ye skyte an' are lost.
Gin yae thing is waur
  Than the thowe, it's the frost.

CITY FOG

The city streets are mirk as nicht;
  The reek hings thick, the cauld is keen.
The lamps gie but a blink o' licht;
  Fog chokes the thrapple, blears the een.

Oh, dowf an' drear November days!
  We bide, in this dark toun, repinin',
While, glintin' on the snaw-clad braes,
  Ayont the hills the sun is shinin'.

THE PUIR TINKLER

How the puir tinkler in winter-time fares,
Naebody kens an' naebody cares;
How the auld gangrel for livlihood fen's,
Naebody cares an' naebody kens.
Folk are sae thrang wi' their ain wee affairs,
Busy wi' buyin' an' sellin' their wares;
Rabbits hae burrows an' foxes hae dens,
But how the puir tinkler in winter-time fen's—
Naebody kens.

DECEMBER DAY

The day is dowf, an' the skies are grey,
 The win' is snell an' cauld;
The trees are bare on the bieldless brae,
 The year is growin' auld.

The warst o' the winter's no' in sicht,
 But the only blink o' cheer
Is the holly-buss wi' its berries bricht
 That tells us Yule is near.

WINTER SCENE

Hid in the haar the clachan sleeps.
  Against each gable wa',
As though to hap it frae the cauld,
  Is piled the drifted snaw.

A' day the roon, rid sun has glowered
  Frae oot the misty sky,
Like orange-coloured Chinese lamp
  That bairns hae hung on high.

An' noo it's sunk ayont the hill,
  The scrimpit gloamin' fa's;
An' dimly in the getherin' mirk
  Loom white-washed cottage wa's.

Nae fit-fa' on the road is heard,
  Nae winnock shows a licht,
The clachan that has slept by day
  Seems gey near deid by nicht.

BY THE LOCH

Black was the wintry hedge,
And no green grass was seen;
Half hidden in the sedge,
Birds by the water's edge
Had found a screen.

The sun sank cold and wanly,
It glimmered and was gone;
The loch lay chill and lonely,
And on its dark breast only
The pale moon shone.

And somewhere in the night
A thrush sang sweet and clear;
A rhapsody so light,
His song seemed to invite
Spring to appear.

BYWAYS AND WEEL-KENT PLACES

THE BYWAYS

The highway's hard, and lang and straucht;
  It rins for mony a mile;
And naebody needs to steek a yett,
  And naebody sclims a stile.

There's thrangity aye on the braid high road,
  And the wheels gae skooshin' by;
But it's no' the way for a daunerin' chiel
  That glowers at the hills and sky.

Sae gie me the byways whaur I gang,
  Wi' mony a twist and turn;
And the paths I ken through the bosky glen
  By the side o' a jinkin' burn.

There are tracks that stray on their ain sweet way,
  By the hedge and the hawthorn tree;
Though there's muckle steer on the braid high road,
  Yet the byway's best for me.

BURN O' MAR

Burn o' Mar, it's lang since I left ye yonder,
  In your ain dark den,
'Mang the auld, grey hills, and woods, whaur I used to wander
  On the tracks I ken.
I pictur' ye noo, while the mist on the muir is lyin',
  And ye're aye the same;
And the whaups on the hill are cryin' still, aye cryin'—
  "Come hame, come hame!"

Burn o' Mar, when the win' through the trees souchs eerie,
  And the rain fa's doon,
What gars ye sing, like a body that aye keeps cheery,
  Sic a canty tune?
I think o' ye whiles, and I mind o' ye aye as singin',
  As swift ye glide.
What wouldna I gie to be like the swallow wingin'
  Hame to your side?

Burn o' Mar, I think o' ye aye in winter,
  Rinnin' strang and red
'Mang the cauld grey rocks, wi' mony a granite splinter
  In your narrow bed;
Rinnin' fierce and strang, in a hurry to reach the river
  When you're big wi' spate.
But you and I will return again, ah! never
  On the backward gate!

LINLITHGOW PALACE

The old town sleeps, and dreams of bygone glory.
Beside the lake, upon a grassy knoll,
Linlithgow Palace rears its ancient wall;
Roofless, but still enduring, strong and hoary.
Monarchs of old have figured in its story;
Passionate Stewarts, luckless one and all;
Mary, whose lovely head was doomed to fall,
And James who ne'er returned from Flodden's foray.
Theirs was no peaceful passing, blade or block,
They met their destined endings one by one;
Like fated ships that founder on a rock
They sank; another victim filled the throne.
What ghosts upon these battlements may walk!
The still lake mirrors only walls of stone.

CULLODEN—16th April, 1746.

Cold winds are blowing o'er the moor, ghost haunted,
  Sounding a coronach for that sad day
When, on this field, the loyal clans, undaunted,
  Mustered in war array.

The wind and sleet were beating in their faces,
  As here they made their onset all in vain;
And these rough burial mounds still mark the places
  Of those, the valiant, slain.

They died—O it was not for gain or glory!
  An old song, long remembered, called them forth
To keep the faith that was their fathers' story—
  Faith flourished in the north.

To save a dream that they had fondly cherished—
  For ancient loyalties meant something then—
Upon Culloden moor brave clansmen perished;
  And more died there than men.

AT THE FORTH BRIDGE

A restless wind is blowing from the north,
  The hills of Fife are grey,
And little ships glide slowly up the Forth
  At close of day.

The great bridge spans the tide from shore to shore,
  Symbol of strength and power.
These pigmy ships were giants heretofore—
  Dwarfed in this hour.

THE HAUNTED ROAD

There's a track through the heather
  Maist naebody kens;
It rins ower the hill
  Frae the far-awa' glens;
A track that was used
  By the drovers lang syne
When they brocht sheep or cattle
  Frae Lorne or Loch Fyne.

And lang ere the drovers,
  Wild men frae the north
Frae mountain and muir
  To the foray cam' forth.
Gey faint in the grass
  Ye may see the path whiles,
Lose sicht o' it syne,
  And no' come on't for miles;
But there it lies hidden,
  A track that's untrod,
Remembered by ghaists
  And forgotten by God.

If ye dauner by nicht
  Through the dark o' the birks,
Ye may ken o' queer ploys
  That's no' preached in the kirks.
Stravaigin' your lane
  Through the gloom o' the glen
Ye may glimpse the pale shadows
  That yince hae been men.

The clash o' a claymore,
  A cry on the hill,
May teach ye that auld freits
  Hae truth in them still;
For the wraiths o' the reivers
  Come forth frae their dens
By that track through the heather
  Maist naebody kens.

INVERSNAID

Inversnaid, at the end o' a day o' roamin',
  When I come to the fute o' the lang, steich, windin' brae,
An' see the lichts o' the inn shine bricht in the gloamin',
  An' a fisher's boat pu' in to the sheltered bay;
That's hoo I mind ye, that's hoo I hope to find ye,
  Inversnaid, when I come your airt some day.

Inversnaid, at the back o' Ben Lomond yonder,
  I've travelled up an' doon, the wide world through,
Seen muckle things an' grand, but whaure'er I wander,
  My thochts are aye on hame, an' hame means you.
Wild Arklet fa'in', an' the win' frae Glen Falloch blawin'
  Will be welcome hame for me when my dreams come true.

IONA

Where hollow caves echo
The ocean's complaints,
At peace amid storm,
Lies the isle of the saints.
A benison dwells on its thyme-scented ways,
Its pleasant, green pastures
And sand-girdled bays.

The sunsets that glare
On the red rocks of Mull,
Or glower on wild Staffa,
Where clamours the gull,
Shine soft on Iona,
That gem of the west,
Where holy men slumber
And kings are at rest.

ON EAGLESHAM MUIR

The wee toun sits upon the brae,
  Its lang, braid street rins up the hill;
Abune it, on the muirlands grey,
  Alane, I wander as I will,
While time stauns still.

The day is caller, clear and cauld,
  The far horizon is in sicht;
The Campsie Fells and Grampians bauld
  Rise like a rampart on my richt;
The sun sets bricht.

Far roun me in a circle wide,
  Like some great timepiece, lies the land;
My ain lang shadow by my side
  Upon the dial points a hand.
Oh! this is grand!

I sclim the heicht o' Ballageich,
  Look doun the Firth to Ailsa's rock,
Then to the north, whaur, dark and steich,
  Ben Lomond stauns like Twelve o'clock,
A gey croose cock!

AILSA CRAIG

Thou rocky isle o' muckle girth,
Heezed up in some volcanic birth,
Prood ships, frae a' the airts on earth,
See thee staun sentry,
When to Clyde's braid an' bonnie Firth
They seek an entry.

When Scotland's kingdom still was young,
You heard the sangs the Norsemen sung
As to their galley oars they swung
An' Clyde invested;
You saw the invaders backward flung,
Beaten an' bested.

Sae may you aye, auld Ailsa rock,
See Scots withstand their foeman's shock,
An' craw as croose as ony cock
Upon its midden,
An' haud their ain 'gainst ony folk
That come unbidden.

SANGS, LILTS AND LYRICS

AULD STIRLING ROCK

Auld Stirling Rock that guards the Forth,
Glowers at the Bens that range the North.
A bonnier carse was never seen,
The river winds green haughs atween;
'Twas there at een I gaed wi' Jock,
My sodger lad frae Stirling Rock

Auld Stirling Rock, Auld Stirling Rock,
Oh, dour an' brave, Auld Stirling Rock,
Though mony a Scottish he'rt be broke,
Ye'll staun' for aye, Auld Stirling Rock.

The dirlin' drums o' war maun beat,
Through Stirling streets come trampin' feet,
The skirlin' pipes their fareweels blaw,
An' sodger lads maun march awa'.
God send thee back, my dear, my Jock,
Safe hame to me, an' Stirling Rock.

Auld Stirling Rock, Auld Stirling Rock,
Oh, dour an' brave, Auld Stirling Rock,
Though mony a Scottish he'rt be broke,
Ye'll staun for aye, Auld Stirling Rock.

The Auld grey castle still looks forth,
Prood sentinel that guards the North;
The Ochils still tower grand an' green,
The river rins braid haughs atween,
The bonnie carse aye blooms sae fair,
But sodger Jock will come nae mair.

Auld Stirling Rock, Auld Stirling Rock,
What ghaists upon thy ramparts walk!
Though mony a Scottish he'rt be broke,
Ye'll staun for aye, Auld Stirling Rock.

DRYMEN MUIR

Blaws the win' ower Drymen Muir,
  Caller, clear an' cauld?
Rins the road sae steich an' bare
  As it ran o' auld?

Dae the mists on Guallan Hill
  Still foretell the weather?
Staun the Hielan cattle still
  Goavin' 'mang the heather?

Changes come as on we fare,
  But, till Time is auld,
Win's shall blaw ower Drymen Muir,
  Caller, clear an' cauld.

CALL O' THE PIPES

When I was a bairn at skule lang syne,
Yae day I saw a sicht sae fine,
The sodgers marchin' oot in line,
Sae gallant an' sae gay in the mornin'.
The pipes blew clear wi' a magic thrill;
My he'rt gaed dunt; an' I plunked the skule,
An' step for step, by howe an' hill
I followed them for miles that mornin'.

Wi' a ran-dan-dan, an' a rum-dum-dum!
The skirlin' pipes an' the dirlin' drum,
They aye cry "Follow" an' the lads aye come
To march wi' the pipes in the mornin'.

When I was a man an' in my prime,
I heard the pipes at an unco time,
For the tune they played was nae rantin' rhyme
But a call to war in the mornin'.
An' though I was a bairn nae mair,
I couldna think to staun an' stare,
But I followed them to dae what man micht dare,
Whaur e'er they would lead that mornin'.

Wi' a ran-dan-dan, an' a rum-dum-dum!
The skirlin' pipes an' the dirlin' drum,
They aye cry "Follow" an' the lads aye come
To march wi' the pipes in the mornin'.

I hear the pipes again this day,
But noo, wae's me, I'm auld an' gray,
An' I maun hirple doon the brae,
Nae mair I'll march in the mornin'.

There comes an end to ilka sang,
An' youth an' strength are spent ere lang,
But my he'rt still follows whaur ye gang,
Oh, pipers brave in the mornin'!

Wi' a ran-dan-dan, an' a rum-dum-dum!
The skirlin' pipes an' the dirlin' drum,
They aye cry "Follow" an' the lads aye come
To march wi' the pipes in the mornin'.

THE DRYMEN ROAD.

Oh, wha will tak' the gate wi' me,
  Gae gallivantin' forth
By Canniesburn an' Craigton
  To the glamour o' the north?
The Drymen road's a lichtsome road,
  The dowfest he'rt 'twould cheer,
The braes are green on ilka side,
  The burns are wimplin' clear.

Oh, wha will tak' the gate wi' me,
  Stravaig the lee-lang day.
Alang the haughs o' Allander
  Or Auchengillan way?
Kilpatrick hills an' Campsie Fells
  Rax oot to ane anither,
Sic bonnie by-roads richt an' left
  Would pit ye in a swither.

Oh, wha will tak' the gate wi' me.
  An' never heed the clock,
By Aucheneden speel the brae
  An' seek the Whangie rock?
Or tramp across the Stockiemuir
  An' view the Grampians braid,
An' keep a tryst in Finnich Glen,
  Whaur bogles pliskies played?

Oh, wha will tak' the gate wi' me
  That leads to Drymen toun?
We'll set oor best fute foremaist
  Let the road be up or doun.

Ben Lomond seems to beckon us,
  Ben Ledi is in view;
Croftamie lies ahint us
  An' we're ower the Endrick noo.

Oh, wha will tak' the gate wi' me,
  The gate that leads me hame?
Drumbeg, Blairo'er an' Blairnavaid—
  There's music in ilk name.
There's Catter, Coldrach, Craigievern,
  Oh, bonnie ferms an' fine,
When Glesca was a clachan sma'
  Folk plooed these lands lang syne.

IN APPIN NOW

O to be in Appin now!
Where the old folk have wise faces,
Where the fairies still leave traces
Of their presence in green places,
Woodland glade or muirland howe.
Appin of the ancient stories,
Appin of the ancient glories,
Appin of the feuds and forays,
O to be in Appin now!

O to be in Appin now!
In the sunny autumn weather!
Where the muircock, bright of feather,
Moves among the purple heather
On the mountain's noble brow.
By the loch, where gulls are wheeling,
There the ocean, inland stealing,
All her beauty is revealing
To the hills of Appin now.

PSALM XV.

Wha bides within thy kirk, O Lord,
  Or on thine holy hill?
The upricht man that keeps thy word
  And lippens to thy will.

He that will neither clype nor clash;
  Misca' nae neebour folk,
But doucely lives, and winna fash
  Wi' sinners to hae troke.

Wha lends nae siller to the puir
  In hope o' muckle gain,
But deals wi' a' men richt and fair,
  He steadfast shall remain.

PSALM CXXVII

Gin 'twere na God that bigg'd the hoose,
  The builders wrocht in vain;
'Tis no' the watchman keeps the toun
  Frae skaith: 'tis God alane.

O wherefore should ye rise ere morn
  To sup o' sorrow deep?
Or why should ye be bedded late?
  The Lord gies douce folk sleep.

Bairns are a heavenly heritage,
  The gift o' God to men;
They are as arrows o' defence
  To let nae foe come ben.

And happy is the man thus arm'd,
  Gey croosely may he craw;
His quiver's fu', nae enemy
  Can daunton him ava.

THE EXILE

Oh, happy the birds on the braes o' Balwhither,
  By bonnie Loch Voil they may bigg their ain nest;
They ken their ain hame, and they dinna lang swither,
  But flee to the airt whaur they ken they'll hae rest.

Could I follow the swallow that flees ower the ocean,
  Could I skim like the sea-maw across the braid sea,
I'd speed to the land o' my deepest devotion;
  But the Braes o' Balwhither are nae mair for me.

REQUIESCAT

When I am deid I fain would lie
  In some quate spot whaur laverocks sing,
Sae that, when winter's frosts are by,
  I'll aiblins ken that it's the spring.

For man is but a puckle stour,
  That shall return to stour may be;
But my puir dust shall yet endure,
  For something's there that winna dee.

And when the brume shall deck the braes,
  And gowans grow in fields anew;
May be, my lass, ye'll come these ways,
  And I shall dream o' love and you.

RIVER OF LIFE

Gliding along with an even flow,
Sliding along, so slow, so slow,
River, O river, where do you go?

Streams that gush from the steep hill side
Cease their hurry and join your tide,
Mingling with you, as on you glide.

Streams and river together run;
You were many, and now are one.
When shall thy journeying be done?

Verily, verily, slow or fast,
You come to the limitless sea at last;
All must merge in that ocean vast.

There are deep things beyond the ken
Of mighty rivers or mortal men:
Things that elude the poet's pen.

Life has a purpose still obscure,
Streams flow on to a goal that's sure;
All things end—but all endure.

AT GLOAMIN'

The gloamin' is dowf an' eerie,
  The win' blaws snell an' free;
Like the glintin' wings o' the sea-maws
  Are the white-tapped waves o' the sea.

Frae the fisherman's hame on the heidland
  There shines a stream o' licht;
An' a wee white face at the winnock
  Keeks oot into the nicht.

An' a woman's wraith-like shadow
  Gangs back an' forrit there,
Whiles sailin' to the ceiling,
  Whiles lowtin' to the flair.

What voice has the win' sae eerie,
  What speaks in the ocean's roar,
What bodefu' tale are they tellin'
  To that bairn in the hoose on shore?

An' why should the win' sae gurly,
  An' the surge on that coast sae bleak,
As they beat at the he'rt o' the mither
  Gar the colour leave her cheek?

GLAMOURIE

The Yerl's dochter sat in her bower
  Spinnin' her silken threid;
The gipsy wife but gied her a glower
  As she passed at the loanin'-heid;
But oh! and her een had an eldritch glint,
  And her look was strange indeed.

The Yerl's dochter gied a sigh,
  And she ca'd nae mair her wheel;
But lang she looked at the braes oot-by,
  Then awa' gaed rock and reel.
She saw that the forest trees were green,
  And aff to the wudes did steal.

She's gane to gether the nuts and slaes,
  And sleep neath the gowden whin;
She'll no' come back till there's snaw on the braes,
  And ice on the wintry linn;
And lang she'll chap at a steekit door
  Ere the Yerl'll let her in.

HAUNTED

"Wha cries in the nicht?"
  "It is me, it is me,
Frae yon howe in the mools
  I am free, I am free."

"Wha chaps at the door?"
  "Let me in, let me in!
Frae the kirkyaird I've hastened
  As fast's I could rin."

"The door is weel steekit,
  I've gane to my bed."
"Ye were fain o' me yince,
  When my cauld lips were red."

"What name did ye say?"
  "My loss ye lang rue'd;
Sae dinna ye mind me,
  The lass that ye lo'ed?"

He is up frae his bed,
  He has opened in haste—
The win' souchs aroon him:
  The ghaist o' a ghaist.

THE FISHERMAN'S LOT

I heard in the seaport the sound of lamenting
  For those who would sail to the fishing no more,
Those drowned in the deep, whom the ocean, relenting
  Had tardily washed by the waves to the shore.

The clay of a wintry kirkyard was their bedding.
  I walked there to-day when the mellow sun shone;
The bells that had tolled pealed in joy for a wedding.
  The graves were now green, and the mourners had gone.

THE ECHO

I called your name to hills o'er cast with cloud,
  A vale where no sun shone;
"O love, where are you gone?" I cried aloud;
  And Echo answered, "Gone."

"But where, ah! where?" In vain did I implore.
  Back from the hillside bare,
Ironic Echo answered as before,
  And mocked me with, "Ah! where?"

GHAISTS IN A GARDEN

The auld hoose by the river
  Stood in the birk-trees' shade,
And on the green forenenst it
  The flichterin' shadows played.

I saw the auld bow-window,
  Wi' ivy twined aboot,
But the faces o' the children
  Nae langer keekit oot.

They played na in the garden,
  They sang na in the ha',
They jinked na mang the birk-trees:
  A silence hung ower a'.

Birds warbled in the hedges
  Their auld familiar air;
But the sang the bairns ance lilted
  I'll hear again nae mair.

For roon the auld hoose garden
  Thae bairns nae langer played;
The ghaists that danced aroon it
  The flichterin' shadows made.

And the wean that walked aside me,
  He couldna un'erstaun
Why in my neive I fondled
  And pressed his wee, warm haun!

BREEZY UPLANDS

Oh, but the wind is frolicsome, frolicsome,
  Oh, but the wind is wild to-day,
Blowing the clouds in rude hilarity
  Over the hills and far away.

Clouds so fleecy, like sheep awandering,
Huddle in haste across the sky.
Oh, but the sun his wealth is squandering,
  Shining there as the clouds go by!

NATURE LOVER

I have been an ardent lover
  All my days:—
Meadows sweet with scented clover,
  Upland ways;
Peaks the rising mists discover
  High above;
Moors the mountain winds sweep over,
  These I love.

Birds are my delight:—The plover,
  Crying, crying;
And the whaup, the moorland rover,
  Wild replying;
Larks, that in the azure hover
  Far above,
Heathbirds in the heather's cover,
  These I love.

Streams have been my joy—when over
  Steep rocks foaming,
Some swift torrent I discover
  In my roaming,
By the crags where kestrels hover
  Lie my ways.
I have been an ardent lover
  All my days.

GRIEF

When young folk greet, 'tis like the rain
  That fa's in springtime sweet,
A sunny shower that sune is ower;
  Wha cares, when young folk greet?

What can they ken o' grief or pain?
  Their dule we dinna heed;
But the sair tears o' the auld folk
  Are saut, saut draps indeed.

UNFORGOTTEN

By the shore whaur the sea-maw cries,
Whaur the grey cliffs froon,
I wander whiles my lane wi' a vain regret;
Never the sun shall rise,
Or at nicht drap doon,
  But I think o' ye yet!

By the birks that are dark and bare,
Whaur the cauld haar hings
And the river sabs to itsel at the fute o' the hill;
It is winter there
And never a wee bird sings;
But I mind o' ye still.

In the streets o' the great thrang toon
Man sells and buys,
And niffers his auld-time dreams for ocht that's new
But at nicht when I lay me doon,
In the morn when I rise,
My thochts are on you.

BRORA'S BRAES

Where Highland hills are rising steep,
On Brora's braes I herded sheep;
But now I walk in alien ways,
Afar from home and Brora's braes.

There is a maiden I love well,
On Brora's braes she still does dwell;
But who shall now her beauty praise
When I am gone from Brora's braes?

When fiery-throated guns are dumb,
And Victory at last shall come,
I'll gladly seek the peaceful ways
I knew of old on Brora's braes.

O, Brora's strath, and Brora's stream,
My daily hope, my nightly dream!
Though I should lie in foreign clays,
My wraith would haunt dear Brora's braes.

GLOSSARY

AND

INDEX TO FIRST LINES

GLOSSARY

aiblins, perhaps
alowe, ablaze
argy-bargied, argued
auld-farrant, old-fashioned
aumrie, cupboard
bachles, down-at-heel shoes
baikie, receptacle for ashes
bambazed, bamboozled
bap, kind of bun or roll
barley-bree, whisky
baudrons, the cat
bawsint, having a white streak on face
begrutten, tear stained
begued, began
beild, shelter
bein, well-to-do
besom, hussy
bide, stay
bigg, build
biggin', dwelling
birlin', going round
birse, temper
black-avised, dark complexioned
blash, heavy shower, gust
blate, bashful
boddle, small coin
breengin', slamming, moving impetuously
bruckle, brittle
busk, dress
caird, vagrant, sturdy beggar
caller, fresh
calm souch, silence
camsteerie, turbulent
cantrip, a magic spell, a frolic
carse, a plain
chap, knock
chaumer, chamber
chawed, envious and disappointed
cheety-pussy, pet name for cat
chiel, fellow
chitter, shiver
clamjamfry, collection, crowd
clampin', tramping heavily
clash, gossip, talk
clish-ma-claverin', gossiping
clype, tell tales
cockalorum, manikin
collishangie, disturbance
cooried, crouched
coronach, lament
corp, corpse
craig, throat
crabbit, grumpy
crack, conversation
cranky, irritable
cranreuch, hoar frost
croose, cheerful
cullen, boy
dab (let), disclose a secret
daidle, fondle, dandle
daidlin', dawdling
daffin', sport
dang, knocked
darg, work
dauner, stroll
devall, cease
dicht, wipe
dirdum, tumult
doitit, foolish
dook, bathe (duck)
douce, gentle, sedate
dover, short nap, sleep
dowf, dull
draigled, soaked
dree, suffer, endure
dreich, dry
drookit, wet, soaked
droon the miller, too much of a good thing
drooth-slockenin', thirst quenching
dross, coal-dust
dub, puddle

dudds, rags, shabby clothes
dunts, knocks
dwaibly, feeble
dwam, swoon
dwine, *dwindle*
eident, industrious
eldritch, uncanny
ett, ate
ettle, try, intend
fause, false
fey, foreboding calamity or death
fell, exceedingly
ferlie, strange thing, wonder
fike, fuss, trouble
fleg, fright
flichterin', fluttering
flinders, wood splinters
flyte, scold
footer, a bungler
forby, also, over and above
forfochen, weary
fornenst, opposite
fractious, irritable
freits, superstitions
fremmit, foreign
fuff, puff
fushionless, pithless, feeble
fyke, one given to worrying
gallivant, gad about
gangrel, vagrant
gantin', yawning
gin, if
girn, to whimper or snarl
glabber, liquid mud
glaur, mud
glamourie, enchantment
gleg, keen
gliff, moment, blink
glower, stare, glare
glunched, looked sulky
grat, wept
grosset, gooseberry
grumph, grunt
grumphie, pig
guid-dochter, daughter-in-law
gully, knife
gurly, surly, stormy
gyte, mad
haar, mist
hain, hoard
hallanshanker, rough fellow
haugh, meadow-land by river
heichs and howes, heights and hollows
heeze, up-lift, hoist
hellicate, wild, unruly
hirplin', limping
hoasted, coughed
hoolet, owl
howdy, midwife
howe, hollow
humplock, heap
hunkerin', crouching
hurdies, buttocks
ill-faured, ugly
ingle-cheek, fireside
ingle-lowe, firelight
jalouse, guess
jaup, splash
jaw-box, sink
jing-bang, party or affair
jink, dodge, elude
joes, sweethearts
jow, to ring or toll a bell
keckle, cackle, laugh
keekin', peering
kenspeckle, conspicuous
kirn, churn
kist-o'-whistles, organ
kittle, difficult
knock, clock
laich, low
laverock, lark
lee-laney, alone
letter-gae, precentor
limmer, hussy
lippen, trust
loanin'-heid, lane-head
loup, leap
loutit, bowed
lowsed, loosened
lum, chimney
lum-hat, tile-hat
lyart, grey-haired
marrow, match, equal
mell, meddle
mixter-maxter, state of confusion
mochy, muggy
muckle-nebbit, big-nosed

neb, *nose*
neist, next
nicher, neigh
niffer, barter
nirlin', keen, nipping
orra, odd
paiks, punishment
partan, crab
pech, breathe heavily
peely-wally, pale, delicate
peerie, top
perjink, precise, finical
plisky, trick, prank
plowter, splash
ploy, sport, undertaking
plunk, play truant
polis, policeman
pooch, pocket
poorie, cream-jug
pow, pate, head
pree, taste
preen, pin
puckle, small quantity
puddock, frog
ram-stam, headlong
randy, wild, disorderly
rauchle, rough
rax, reach, stretch
red-up, tidied
reestit, balked
rick-ma-tic, collection
rowt, bellow
rowth, plenty, superfluity
runkle, wrinkle
sain, absolve
sapples, soap-suds
scliff-scliffin', dragging the feet
sclim, climb
scowther, spattering
scrimps, grudges
shachly, shambling
shilpit, sickly, puny
shoogle, shake
shoogly, unsteady, shaky
soople, active
sib, akin
siller, money, silver
sine, wash
skailed, emptied, spilt
skaith, harm
skelly-e'ed, squint-eyed
skinnymalink, excessively thin
skirl, yell
skraich, screech
skuddy, naked
skule, school
skyte, slip
smeddum, spirit
smeek, offensive smell
smittle, infectious
smoored, smothered
snell, keen, cold
snoove, move steadily on
snicher, snigger
soop, sweep
speel, climb
speer, ask
speldered, stretched out
speug, sparrow
splairged, splashed
splatter, splash
splore, prank
sprachle, scramble, struggle
spurtle, pot-stick
stacher, stagger
staw, distaste
steek, shut
steer, stir
steeve, firm, sturdy
steich, steep
stottin', bouncing, staggering
stour, dust
stoury, dusty
stravaig, wander
strunts, huff, pique
sweel, put around, move liquid with circular motion
sweir, loth
syne, since, afterwards
taigle, hinder, delay
tapselteerie, topsy-turvy
tashed, soiled
tent, heed
thowe, thaw
thrang, busy
thrawn, stubborn
threep, insist
throu'ther, unruly
tid, mood
tirrivee, commotion

tosh, tidy
tousy, tangled
trachle, drudgery
traikin', trudging
trauchle, draggle
troke, dealings
tup, ram
twasome, pair
wabbit, exhausted
wally, china
wame, stomach
ware, expend
warstle, struggle
waught, copious draught
waukrife, wakeful
wheen, a quantity
wheesht, hush
whid, a lie, a fib
whummled, upset
winnock, window
wyte, blame
yerl, earl
yokit on, attacked
yowe, ewe
yowl, yelp

INDEX TO FIRST LINES

INDEX TO FIRST LINES

INDEX TO FIRST LINES

INDEX TO FIRST LINES